ラブコメ今昔

有川 浩

角川文庫 17402

Contents

イラスト／徒花スクモ
デザイン／片岡忠彦

ラブコメ今昔

Romantic Comedy
Now and Bygone Days

習志野《ならしの》空挺《くうてい》部隊と呼び習わされる第一空挺団は習志野駐屯地に籍を置いている。しかし習志野駐屯地自体は習志野市と何ら関係なく船橋《ふなばし》市に所在する。この辺りの矛盾は海自の厚木《あつぎ》基地が厚木市に所在していないのと同じ関係だろう。

習志野といえば空挺、空挺といえば習志野。日本にただ一つの空挺部隊の知名度は無駄に高い。

その第一空挺団で大隊長を務める二等陸佐・今村和久《いまむらかずひさ》は、本日さして珍しくもない来客を迎える予定だった。

顔見知りの記者――とは言っても身内である。

陸上自衛隊は各方面部隊がそれぞれ一つずつ新聞を持っている。いわゆる隊内紙で週刊発行となっているものだ。一般紙と異なるのはやはり記事が自衛隊に関連するニュースに特化されていることである。

東部方面隊の隊内紙は『あづま』というタイトルで発行は週一回。制作は広報部の担当者が受け持つ。

隊内紙の記者は幹部一名、下士官（いわゆる曹）一名から成る。三年前から『あづま』

担当となった下士官は吉敷一馬《よしきかずま》一曹で、これが長年配置換えなしで勤めているのは写真の腕を買われているらしい。空自専門でもないのに航空機のここぞの挙動を見事にフィルムに収める腕前はかなりのものだし、静物でも民間の各種のコンテストによく入選していると聞く。

　今村が着任したときには吉敷は既に『あづま』の写真担当だったし、恐らく今村が配置換えになってもそのポジションは代わるまい。軍閥化を懸念しての頻繁な配置換えがあるのは幹部になってからだし、防大卒ではない叩《たた》き上げの吉敷が幹部に昇進するのはかなり難しいだろう。

　ともあれ、今村が習志野に着任してから、吉敷とはそれなりに気心の知れた付き合いが続いている。

　何かと話題が多く、派手な部署でもある第一空挺団は記事にしやすいらしく『あづま』からも定期的に取材のオファーが入ってくる。

　しかし、吉敷の上官に当たる広報幹部は先日吉敷とコンビを組み替えて新人の写真担当を受け持ったらしく、吉敷もまた新任の上官を持つことになったらしい。

　新任はまだ着任が間に合わなかったようで、今回のオファーは吉敷から電話で入った。

「新任はどんな奴だ」

「二尉になりたてのペーペーですよ。年は自分より三つほど下だったから二十七ですか」

叩き上げの陸曹からは防大出身の若手幹部に対し、時として現場の経験不足を揶揄《やゆ》した辛口な意見が出てくることがある。海自などは幹部になりたての尉官ごとき、先任海曹の前には赤子も同然だという。

「階級が一つ足りないんじゃないのか」

「人員不足プラス本人の意欲ってところでしょうか。取《と》り敢《あ》えずサブで入って当たり障りのないコーナーから仕事を覚えさせるってことらしいですよ。前任もまだ残ってますし、そっちはそっちでまた写真担当の新人が就いてます。上は記者と写真と同時に促成しようって腹のようで」

「随分な突っ放し口調だな、おい。組んだ早々に上手《うま》く行ってないのか」

「別にそんなことはありませんが。それより我が身を心配されたほうがいいですよ」

思わせぶりな忠告だか警告だかで吉敷は電話を切り、

——そして、初顔合わせで謎は解けた。

「この度『あづま』記者として着任しました矢部《やべ》千尋《ちひろ》二等陸尉です！」

今村に元気よく敬礼したのは、童顔のせいもあるだろうが二十代後半とは信じられないような女の子ちゃんだった。去年嫁に出した今村の長女はこれより年下だったが、見かけだけなら長女のほうがよほど大人びている。

「千と千尋の神隠しの『ちひろ』で覚えてください、字も同じなので」

吉敷は隣でややふて腐れたような表情だ。前任記者は佐官級の男性で、吉敷も尊敬してよく懐いていただけに、新人促成のために引き離されたような人事が吉敷にとって不本意なものだったことは想像に難くない。なまじ千尋の見てくれがかわいらしいだけに、その下に就くとなるとなおさらだ。

しかも吉敷は広報が長い。上官とはいえ千尋は経験不足の小娘にしか見えないだろう。

元気のいい挨拶《あいさつ》に苦笑しながら名刺を交換し、今村から切り出す。

「今日はどういった取材で？　特に大規模な演習は予定しておりませんが……隊員に経験談でもさせましょうか？」

「いえ、今回は今村二佐への取材をさせて頂きたくて参りました」

この辺で吉敷が何気なく視線を横に逸《そ》らした。何度か飲んだこともあるので分かるが、話題に巻き込まれたくないときの吉敷の癖である。

「実は今回、『あづま』にコラムのコーナーを新しく作ることになりまして」

千と千尋と一緒です、の元気な女の子ちゃん二尉はニコニコ笑いながら切り出した。

「テーマは『自衛官の恋愛と結婚について』で、色んな立場の隊員の皆さんに恋愛や結婚の経験談を語ってもらいたいんです。そこで栄えある連載第一回の登場を、陸自指折りの名部隊である第一空挺団の今村二佐にご登場願いたいと……」

これか！　と今さらながら合点がいき、目を剝《む》いて吉敷を睨《にら》んだが吉敷は目を逸らしたまま戻ってこない。

「冗談じゃない！」

今村はほとんど反射で席を立って部屋の外へ逃げようとしたが、ドアを『千尋ちゃん』に塞《ふさ》がれるほうが早かった。

「まあまあ、まだお話の途中じゃないですか。どうぞお席に戻られて」

千尋のニコニコは一向に崩れる様子がない。今村はもう一度「冗談じゃない」と繰り返した。

「あんた、俺を一体いくつだと思ってる！　五十も過ぎたおっさんが古女房との馴《な》れ初《そ》めなんぞ隊内紙でべらべら垂れ流せるか、みっともない！」

「今村二佐は奥様との馴れ初めをみっともないと思ってらっしゃるんですか？」

くるん、とかわいく人差し指付きで小首を傾げた千尋にぐっと言葉が詰まる。

「とにかくそこどけ！」

ドアの前に立ちはだかった千尋をむりやり腕で押しのけると、「あん」と甘ったるくもわざとらしい抗議の声が上がって膝《ひざ》が砕けそうになった。無論、脱力してのことである。

振り返って吉敷を指差し、

「後で話があるからな、吉敷一曹！」

怒鳴ると吉敷はばつが悪そうに肩をすくめて見せた。

出ていく今村を「諦《あきら》めませんから気長によろしくお願いしまーす」という千尋のぶった声が追いかけてきてまた脱力しそうになった。

「どういうことだ、吉敷ッ！」

隠れて煙草を吸っている高校生でもあるまいに、なぜ俺が——泣く子も黙る第一空挺団大隊長が、個室に籠《こ》もってこそこそ電話をせねばならないのか。その状況に腹が立つ。

というのも、警衛に確認すると先ほど襲来した千尋ちゃんがまだ帰っていなかったからである。

「どういうことだと言われましても……言いましたでしょ、最初に」

「俺が俎上《そじょう》に載るとは聞いてなかったぞ！　背任行為だ、裏切りだ！」

「自分は『あづま』担当ですから、矢部二尉の指示に背くほうが背任行為になってしまうもので……」

「貴様、二度と空挺団の記事書かせんぞ！」

「はあ。重要な取材なら前任——というか自分にとっての前任なだけで現役の中西《なかにし》三佐が取材に来られると思いますし。自分の担当は写真ですから記事は書きませんし」

ええいああ言えばこう言う、と今村は個室の中で歯がみした。

あっ、コソコソ電話してると思ったら！　そんな声がしたかと思ったらあっという間に電話の相手が千尋にチェンジした。

「今村二佐、今どちらですかぁ？」

「答える義務はないっ！」

「声が響きますけど、もしかしてトイレ？　もー、隠れて煙草吸ってる高校生じゃないんだからやめましょうよー」

自分でも情けなく思っていた部分をそのまま表現されて、言い返すより先に指が携帯の電源を切っていた。

結局その日はあちこち逃げ回っているうちに終業となり時間切れ、だが国旗を降ろして終礼が済むと千尋はすかさず今村を捕まえにきて、

「またお邪魔しますのでよろしくお願いします」

と、またにっこり千尋スマイルだ。諦める気は更々ないらしい。

「来るだけなら貴官の自由だ、勝手にしなさい」

今村のほうもそれくらいでいなせるほどにようやく落ち着いていたが、千尋の隣の吉敷には〝何でこんなの連れてきた〟と恨みがましい視線を送らずにはいられなかった。

今の若い連中はどうかは知らないが、今村の若い頃は防大出の幹部候補生で若いうちに結婚する者は少なかった。中でも恋愛で結婚する者は珍しい部類に入ったものだ。

＊

昇任して二十代半ばから三十代にかけて、上官やそれに連なる縁の紹介で見合いというのが一般的なルートだった。それが幹部として穏当な道筋だったということでもある。

もちろん今はそんな時代でもないだろうし、今村の部下の若い幹部たちにも恋多き者が少なくなく、結婚時の清算に四苦八苦という例も珍しくない。

だが、二十数年前はまだ男女が今ほど大らかに睦《むつ》み合っていない時代で、そんな時代に上官の更に上官を仲人《なこうど》にして直属の上官の娘と見合い――という典型的なルートを踏んだ今村である。今さら恋愛話など要求されても目を白黒させるしか能がない。

初めて会ったのは仲人となった上官の自宅だ。本来なら当時の今村などご尊顔を拝することも不可能な上級幹部が仲人。代々受け継いだという自宅はよく手入れをされた純日本風の邸宅で、框《かまち》に上がるときは新品を下ろしたのに靴下に穴など開いていないか冷や冷やしながら脱いだ靴を揃え、見合い相手となる娘が履き物を脱ぐのを待った。

その時点ではまだ相手の顔もろくろく見る余裕がなく、尾長の背色のような淡い空色の振《ふ》り袖《そで》にばかり目がいき、彼女が振り向く瞬間が顔を初めてまともに見るチャンスだった。

少々不安だったのは、先輩に「見合い写真は修整がいくらでも利くから信用するなよ」と脅されていたからである。

ところがこれが三和土《たたき》に向かってしゃがんだまま、なかなか立とうとしない。ひょいと窺《うかが》うと、彼女は首筋を真っ赤にして框から転げ落ちそうになりながら、自分の脱いだ草履を揃えようとしているのだった。

特に高すぎる框でもなかったが、動きの制限される振り袖と、小柄な体に見合った腕の短さと、框に上がってからもう一度三和土に降りて草履を揃えるなどという不調法なことはできないというお作法でがんじがらめになっているのだろう。

懸命に鼻緒を捕らえようと指を一杯に伸ばすが、その指は空振りばかりである。そして空振りの度に框から転げそうになってこらえる。

玄関に入ったのは彼女が最後だし、仲人や付き添いの親たちは先に奥へ入ってしまっているのだから、ちょっと降りて揃えてしまえばいいのに――とおかしくなった。それとも自分がここに残っているから〝ちょっと降りて〟ができないのだろうか。

どちらにしても、しっかり躾《しつけ》をされて大事に育てられたいいお嬢さんだなと思った。

先に奥へ行きますよと声をかけて隙を作るか、それとも――

何だか彼女は隙を上手く使えなさそうだ、と思ったことが選択肢を絞った理由だった。

「失礼」

声をかけてから後ろ襟に人差し指を差し込む。ぎょっとしたように振り向いた娘は顔を真っ赤にして（それとも今までのあがきで赤くなっていたのか）、すみませんと小さな声で呟《つぶや》いてまた草履に向かって屈《かが》んだ。今村の人差し指が鉤《かぎ》である。

無事に草履を揃え、ようやく彼女は立ち上がって深々と今村に頭を下げた。

そうして次に顔を上げられて、見合い写真の修整はされていないらしいと分かった。


「それでは後は若い人同士で」

その合図で仲人の上官夫妻も彼女の親たちも腰を上げて部屋を出ていった。

ああ、本当にその台詞《せりふ》は言うのか。テレビドラマではよく聞く台詞だが、本当に聞いたのは初めてである。

二人にされると何を喋《しゃべ》っていいか分からずお茶などすする。事前にもらっていた釣書で瀬戸山邦恵《せとやまくにえ》という名の長女、二十三歳ということだけは記憶にある上官の娘だが、覚えている情報はそこまでだ。

「あの、先ほどはすみませんでした」

「いえ、お気になさらず。少し框が高かったですね」

とは言ったものの若い女性には恥ずかしかったのだろう、顔がうっすらとまた赤くなる。

「ご趣味は」

彼女の意識を逸《そ》らそうと投げた質問がまたベタなお見合い台詞で、自分の口からこんな台詞がするりと出てきたことに思わず心が挫《くじ》けそうになった。これで相手がお茶だのお華だの答えたら見事なテンプレートの出来上がりだが、

「お漬け物を少々」

思いも寄らぬ変化球に自制の利く暇もなく、「は？」と怪訝《けげん》な声が出た。すると邦恵は見る間に真っ赤になって俯《うつむ》き（赤くなることの多い娘だ）、両手で顔を隠した。

「父が……付け焼き刃で三ヶ月前から始めたような習い事を釣書に書くようなごまかしはするなって」

邦恵の父である瀬戸山三佐は今村の直属の上官で、なるほど、あの上官なら言いそうなことだと納得する。

「いや、瀬戸山三佐らしいお言葉ですね」

しかし、なぜ趣味——というかこの場合は特技の意味合いも兼ねるのだろうが、それがどうした拍子で「お漬け物」になるのか。

「母がお漬け物を漬けるのが巧《うま》くて……私も小さい頃から仕込まれたので、お漬け物なら一通り……スーパーの市販品には負けないくらいに漬けられます」

瀬戸山が釣書に書くのを認めたくらいだからそれは事実なのだろう。それにしても娘の見合いなのだからもっと洒落《しゃれ》めいた趣味や特技を書かせてやればいいものを、と思わない

でもない。

「あの……すみません、ぬかみそ臭いですよね、やっぱり」

やはり邦恵は気にしているらしい。

「いや、結構な特技じゃないでしょうか。履歴書に書いてもいいくらいだ」

漬け物を自分で漬けられるというからには家事の腕前も相当なものなのだろう。

「男としてはやはり、家事や料理に長《た》けた女性には憧《あこが》れを感じますよ。日頃が隊のドカ飯ばかりですからね」

今になって思い返すと、この台詞はイマドキのフェミニズムだか何だかに引っかかるのかもしれないが、そのときは素直に誉め言葉だったし今でもそのつもりでいる。

それにお茶だのお華だのなら今村は「はあ結構なご趣味で」までしか話が続かないが、漬け物なら少なくとも共通項の話題である。

「何が特にお得意なんでしょう、自分は沢庵《たくあん》が好きなんですが」

「あ、得意なのは白菜漬けで……大根でしたらべったら漬けのほうが得意なんですけど、沢庵もそちら様の戦闘糧食の沢庵よりは上手に漬けられると思います」

尾長の色合いのような上品な振り袖姿の娘から戦闘糧食などという単語がいきなり出てきて、思わず口に含んだお茶を吹きそうになった。

そもそも戦闘糧食の中に沢庵があるということを何故この娘が知っているのか。

「父が一度、自衛隊の非常食にも沢庵がある、と持って帰ってきたことがありまして。缶の中に縦に切った沢庵がぎっしり詰まっていたのがたいへん衝撃的でした。私や母の常識の中には存在しない切り方でしたので」

まったくその通りで、自衛隊の戦闘糧食の沢庵はお定まりの国防色の小さな缶に、缶の高さに合わせて細長くカットされた沢庵がぎっしり詰まっているのである。

そして、この沢庵に敵《かな》うというのなら邦恵の腕前も相当なものだ。戦闘糧食の沢庵は、缶メシと呼ばれるぎゅう詰めの白飯を残さずかき込むために味付けこそきつくなっているが、味自体は酒の肴《さかな》に使っても遜色《そんしょく》ないほどのもので、隊員の人気も高い。

思えば今村の沢庵好きも、隊内で旨《うま》いものにありつけない陸自ならではの嗜好《しこう》の偏りであったかもしれない。――というのは、結婚後は沢庵にこだわることもなくなったからだ。邦恵の漬け物はどれも絶品だったが、やはり得意だと言っていたもののほうが旨かったのである。

「今村さんはあの、器械体操がお得意だそうで」

その発言で邦恵の側はちゃんと釣書を読んできていると分かる。斜め読みだった自分の不誠実に首がすくんだ。

「は、それもあって空挺隊員になったようなものでして……富士《ふじ》の総合火力演習はご覧になったことがありますか」

瀬戸山なら家族を呼んだことがあるはずだと思いつつ訊《き》くと、邦恵もこくりと頷《うなず》いた。

「空挺降下は？」

「はい、それも」

ということは天候条件が良かった年に当たったのだろう。実施が天候に左右される空挺降下と航空攻撃は中止されることもよくある。

「今降下しましたとアナウンスがされたんですけど、全然見えなくて。首が痛くなるほど真上を見上げて目をこらしていたら、やっと針の先で突いたような点々が見えはじめて」

その年は高高度からの降下である自由降下となったのだろう。機からばらまかれた隊員は地上からはその程度にしか見えない。しかも、素人が視認できはじめる頃には既に数百メートルを降下しているのである。

降下地点は観覧席の前と決まっている。桟敷《さじき》から適切な距離を保ちつつも離れすぎてはいけない。整地された演習場の奥のブッシュに落ちるなどとんでもないことだ。着地後に手際よく傘を畳み、撤収するところまでが見せ場である。しかも、横に長く作られた桟敷の観客に平等に見えるように、桟敷の右寄り、左寄り、中央と手分けして着地をほとんど等間隔にしなければならない。

地上から見えないほどの高度でばらまかれて正確に着地できるのは、日頃の訓練の賜物《たまもの》である。

高度を下げるといきなり向きを変える気まぐれな山風に翻弄《ほんろう》されながら、体をヨーヨーかコマのように縦回転させ横回転させ、パラシュートを開くまでに着地ポイントを捉《とら》えるのだ。

「自分は中学から器械体操をやっておりまして、空中感覚が多少あるほうでして……第一空挺団の配属になりました」

今では四十人ほどの小隊を指揮する小隊長の任に就いている。

「父からよく聞くんですが、空挺団の方はたいへん絆《きずな》が強いそうですね」

「ああ、『傘の絆』というやつですね」

空挺団の基礎教程ともいえる基本降下課程では下士官も幹部も同じ扱いで訓練を受け、また、後方支援部隊となる落下傘整備中隊などとの信頼関係も叩き込まれる。そして一度飛行機に乗れば、上官も部下も一蓮托生《いちれんたくしょう》という思いが強く育てられる。自衛隊に空挺団は習志野の第一空挺団ただ一つ、それが陸自や空自の航空戦力と連携して自在に活動するという自負が隊の誇りとして若い隊員に『傘の絆』を養わせるのだ。

「お父上から耳にタコができるほど聞いておられるでしょうし、ご説明は無用ですね」

そう言うと邦恵もころころ笑った。当たっているらしい。

よかった、と話の途中で邦恵が小さく呟いた。

「何がです？」

訊くと独り言のつもりだったようで慌てて顔の前で両手を振った。また顔が赤くなっている。

「あの、お話ししやすい方で……私、お見合いはこれが初めてなものですから」

そうなんですかと相槌《あいづち》を打ちつつ、今村には多少意外な話である。邦恵の父親の瀬戸山三佐からは少々うるさいほど「うちの娘と会ってみないか」との声がかりがあり、よほど貰《もら》い手がなく焦って見合いをさせまくっているのかと思っていた。

「今村さんのほうはもう何度か？」

と、逆に邦恵から訊かれたのは、今村の年齢と階級的に何度か見合いを経験していても不思議ではない風潮を知っているのだろう。今村は当時二十六歳の二尉だった。

「いえ、自分も初めてですよ」

答えると案の定、意外そうな顔をされた。今村も内心では邦恵にそう思ったのだから、おあいこである。

「こういうものは何だか縁がある者とない者に分かれるんです。一応我々は幹部ですから、ある程度の階級になってくると上官やその周辺関係から見合いの話が頻々と舞い込むのは事実ですよ。ですが、タイミングというんですか。例えば同じ階級の上官からの見合い話がかち合ったりすると、お い〇〇二佐の話は受けるのに俺の話は受けないのか、とかね。両方の顔を立てるのに両方の話を断ったりすることもあるわけです」

「それは今村さんご自身の……？」

「まあ、そんなことがあったのも否定はしません」

しかし、身を固めることが面倒くさく感じられたのも事実だ。正直なところ、まだ結婚への意識が高まっているわけではないが、それを言うのは瀬戸山にも邦恵にも失礼だろうというくらいの分別は持ち合わせている。

「じゃあ私、タイミングがよかったんですのね」

そう言って邦恵は無邪気に笑った。育ちの良さが透けて見えるような眩《まぶ》しい笑顔だった。


顔合わせはひとまず無難に終わった。

瀬戸山三佐が仲人をまたいで「どうだった」と感触をせがんできたのは、見合いの翌日の月曜である。直属ならではの反則に今村としては苦笑せざるを得ない。

「かわいらしくていいお嬢さんですね」

「じゃあOKか⁉」

「昨日の今日でそんなもん決められますか、八百屋で茄子《なす》やトマトを買うんじゃあるまいし。お返事は仲人さんにするのがマナーというもんでしょう」

「うちの娘は気に入ったみたいだぞ」

反則の嵐だ。もし今村が断ったら邦恵の立場もなかろうに。

「何でそんなに自分とくっつけたがるんですか、大事なお嬢さんでしょうに」

そりゃあお前、と瀬戸山は言った。

「大事な娘は俺が見込んだ男にやりたいに決まっとる」

その台詞は上官としては殺し文句だった。

「ま、邦恵の年に釣り合う部下の中ではってことだけどな」

一言余計だ。

その一言多い殺し文句が功を奏したかどうかはさておいて——

今村から返事をし、ひとまずお付き合いからという運びになった。もちろん上官の顔を立てたというだけの話ではない。

釣書で趣味・特技の欄に「お漬け物」と書き、草履を揃えようと框から転げ落ちそうになっていた、愛嬌《あいきょう》のある風変わりな彼女ともう少し知り合ってみたいと思ったことも事実である。

＊

「お帰りなさい」

官舎に帰宅すると、邦恵がぱたぱた廊下を駆け寄ってきて今村の荷物を受け取った。

そのまま4LDKのリビングに向かい、邦恵が背中から手伝うのに任せて制服を脱ぐ。ネクタイもワイシャツも脱ぐなり邦恵に押しつけだ。制服にブラシをかけて手入れをするのも邦恵である。

二十四で嫁いだ長女がいつも飽きずに亭主関白だと攻撃してきたネタだ。

イマドキそんなの流行《はや》らないわよ。もしもお母さんが倒れたり入院したらどうするの。お母さんもお母さんよ、そんなにお父さんを甘やかしてちゃ駄目よ。

口うるさいのがいなくなったからこの慣習にも文句をつける者は誰もいないし、邦恵が嫌だと言えばともかく当世流じゃないからと今までの習いを変えるつもりもない。

年子の上だった長男は長女よりも一年早く結婚して家を出ている。長男の進路は内心で自衛官を期待していたが、東京で一般企業に就職した。大型連休はレジャー以外は互いの実家へ順番に帰るというルールを作っているようで、今年は帰ってこないらしい。

「今日はあなたの好きな赤魚の煮付けですよ。先に晩酌を始めててくださいな」

隊の食堂がテーブル式なので家では断固座敷がいいという今村の信念に基づいて、食卓は昔から座卓である。これもリビングがフローリングの新しい官舎に移ってからは長女のセンスの強行によりローテーブルだのラグだのソファだのやけにイマドキの食卓になった。

嫁いだ長女の遺産とも言えるその食卓で、今村が座るのはやはり床置きのクッションである。背中をソファにもたせかけると、ちょうど座椅子の要領で居心地がいい。ソファは食後のくつろぎ用よ、お父さんのもたれるところだけ生地がテカっちゃってるじゃないと文句を言われることももうない。

　ソファに出してあったパジャマに着替え、今村がテレビを点《つ》けてニュースにチャンネルを合わせると、小鍋《こなべ》の湯豆腐に邦恵お得意の白菜の漬け物、そして発泡酒が出てきた。

「おいおい、もう子供に金がかかることもないんだから晩酌くらいはビールにならんか」

「ごめんなさいね、癖でついつい買っちゃうのよ。次は気をつけなくっちゃ」

　と毎度言いつつ、邦恵が買ってくるのは三度に一度の割合で発泡酒である。こういうのを若い奴は天然というのか、邦恵は家事は丹念なのだがうっかりミスが多い。

　それもまあ古女房の愛嬌か、と思ったところで昼間襲来した「千尋ちゃん」を思い出し、表情が思わず渋くなる。こんな話は他人に聞かせてたまるものか。

「あらっ、そんなにおいしくない銘柄でした？　次から避けなきゃ」

　テーブルの準備をしていた邦恵が缶の銘柄を確かめようとするのを慌てて遮る。

「いや、別に普通だ、普通。ちょっと仕事のことを思い出してな」

「まあ、何かありました？」

　邦恵の表情も厳しくなる。自衛官の妻を二十年もやっていればそうもなろう。

「いやいや、大したことじゃない。広報で慣れてた記者が異動してな。後任がちと難ノリなだけだ」

下手に嘘をついても逆に心配されるので無難な事実を答えると、邦恵もほっとしたように表情を緩めた。

「チャンネル争いがないというのもちょっと寂しいもんだなぁ」

邦恵もテーブルに着くのを待ち、食事が始まってからそんな呟きが滑り出た。去年嫁に出したとはいえ、時系列ではまだ半年とは経っていない。

「今度は旦那《だんな》さんとチャンネル争いになってなければいいんだけど」

邦恵も頷きながら箸《はし》を動かしている。

「この家も二人だと広すぎるなぁ」

長男が結婚したときは「ちょっと静かになったな」程度だったが、お喋りで口うるさい長女を嫁に出すと正に「静まり返った」。一人立て続けに結婚したせいかもしれない。

「どうする、お前も掃除が大変だろうし、部屋の少ない官舎の空きを当たってみるか？」

何の気なしの問いかけだったが、邦恵は「あら、いやですよお父さん」と顔をしかめた。

「あの子たちが帰ってきたときに、ゆっくり泊まれる部屋がほしいじゃないですか。そのうち孫もできるかもしれないし」

邦恵が積極的に自分の希望を述べるのは久しぶりに聞いたような気がする。

「俺が退官したらどうするんだ、官舎は出ることになるぞ」

今村もそろそろ退官が意識される年齢である。自分の退官に関して邦恵の希望は聞いたことがなかったなと思いついてふと投げてみた質問だ。

邦恵は煮付けの身を箸できれいに取りながら、迷った様子もなく答えた。

「私はあなたが行くところについていくだけですよ。将官にならなかったら、再就職先を探すことになるんでしょう？　——でも、できれば……」

そこから先は夢に近い台詞なのだろう。

「隠居する年になったらちょっと田舎に引っ込んで、子供たちや孫が一緒に泊まれるような家を中古でいいから買えるといいわねえ。のどかで孫が野遊びできるような……」

いかにも邦恵らしいささやかな願いだった。夫に付き従ってずっと専業主婦で家を守り、子供を育て上げ、願うことも自分より家族のことを優先する。今村の世代の感覚では妻として当たり前のスタイルだが、今の感覚では少々古いのだろう。だからといって、長女の言うようなイマドキに合わせるつもりも毛頭ないが。

「まあ、それくらいの甲斐性《かいしょう》は期待しておけ」

照れ隠しでぶっきらぼうになった台詞に、邦恵は「期待しておきます」と微笑んだ。

＊

「おはようございます、矢部千尋、矢部千尋、矢部千尋でございまーす！」

出勤すると既に千尋ちゃんは大隊長室の前に張り込んでいた。

その横で所在なげにカメラをいじっている吉敷に、今村は物も言わずに詰め寄った。

「何で警告してこなかった⁉」

小声の詰問に吉敷はいつものように淡々と答えた。

「直属の上官の意図に反する権限が下士官にあるとでも？」

「理屈のうえではそうかもしれんが、俺とお前の間には長年の付き合いというものがあるだろうが！」

「二佐にこんだけ押しが強いんですよ、部下の俺に何ができますか」

「はい、押し問答終わられました？　昨日は企画の説明が足りなかったかと反省しましたので、今日は企画の意図からみっちりとご説明させていただければと思います！　どうぞお入りになってください」

言いつつ千尋は大隊長室のドアを勝手に開け、小首を傾げて今村に入室を促した。——誰の部屋だ、ここは。

室内に入り、デスクの後ろにかけてあるスケジュールボードが目に入った。

天の配剤、とはこういうことだろうと今村は勝手に解釈した。

「残念ながら今日は空挺団の自由降下訓練を監督することになっておりましてな」

スケジュールボードの本日の欄には、小隊の一つが自由降下訓練をすることが記されていたのである。

　もちろん、小隊の訓練を大隊長が直接監督するような予定はなかったが、そんなものはねじ込めば何とでもなる。

　千尋にも吉敷にもその場凌《しの》ぎで逃げたことは見え見えだったろう。

「いや、大変残念でしたな。その企画の意図とやらはまた後日伺いましょう」

　戦闘服はロッカー室に常備してある。さっさと部屋を逃げ出しながら、千尋はさぞかし不満げな顔をしているのだろうと今村がやや意地悪く窺うと、

「はい、ではまた後日、必ず」

　いつものニコニコ顔のまま、千尋はねじ込むように「必ず」という単語を強調して発音した。

　ぎくりと肝が冷えた。もしかして言質を取られたか？　表情こそ笑顔だが、何気に目が笑っていない。

　ともあれこの場は三十六計逃げるに如《し》かずだ。言質は取られたとしても、今は取り返しようがない。

「くっそー、空に逃げられちゃ追えないわね」

　滑走路から離陸したC—1を仏頂面で睨みながら千尋は呟いた。

「どうします、今日は帰りますか」

吉敷の提案を「冗談」と鼻で笑って却下する。

「降りてくるまで粘ってプレッシャーかけてやるわ」

「もしかしたら訓練予定変えて別の駐屯地に降りるかも」

「それならそれで終礼まで粘ってた事実を伝言と警衛記録に残してやっぱりプレッシャーをかけるだけよ。それに本人がいなければいないでやりやすいこともあるわ」

「何をですか、二尉殿」

「今村二佐の人物像の取材はできるでしょ、部下が全員出払ってるわけじゃないんだから。吉敷一曹、もちろんあなたからも話は聞かせてもらえるわよね」

長い付き合いなんでしょう？　にっこり尋ねた千尋の目はやはり笑っていなかった。

＊

「千尋ちゃん」にまとわりつかれる日数は既に十日を数えようとしていた。

今村が逃げ回っている間に千尋は部下の根回しを目論《もくろ》んだらしく、最近では周囲からの突き上げもきつい。

曰《いわ》く、「酒の席ではよく話してる話じゃないですか」「いい馴れ初めじゃないですか、彼女も熱心だしいい記事にしてくれますよ」「照れくさいのは分かりますけど」

お前ら一体どっちの味方だ、『傘の絆』はどうした！　――と喚《わめ》くと、すかさず「傘は関係ないじゃないですか」とたしなめられる。

それでも、部下から情報が漏洩《ろうえい》していない辺りに『絆』はしかと作用しているのだから文句は言えない。大人げない逃げだという自覚があることも分が悪い。

「あんなに手強《てごわ》いとは聞かされてなかったぞ」

吉敷に愚痴ると、吉敷も「自分も仕事では初めて組みましたからね。組んでからこっち振り回されてばかりです」としれっとしている。

「少しは二佐に利する展開に持ち込もうと努力もしてるんですよ。ですが、何をどう誘導してもこれと決めたら諦めやしませんね。記者向きかもしれません」

「あっ、今村二佐！」

トイレにでも行っていたのか姿が見えなかった千尋が、通路で立ち話をしていた二人を目《め》敏《ざと》く見つけて駆け寄ってきた。慌てて逃げ出すがさすがに出足が若さに負けた。

「企画の意図を聞いてくださる約束ですよ！」

がっちり腕を組まれて捕まえられる。千尋には捕獲以外の他意はないのだろうが、弾力のある膨らみを腕に押しつけられる形になって、今村は力任せに腕を振り払った。

「やめなさい、若い女性が！」

体裁は作ったが、動揺しなかったと言えば嘘になる。

そんな今村の様子を吉敷は冷やかに傍観しており、馴染みの下士官のその視線も痛く、結局は「聞くだけ」という条件でそのときとうとう捕まった。


大隊長室の狭い応接セットで一応はWAC《ワック》にお茶を出してもらったが、千尋はそのお茶に手をつけるより先に話し出した。

「女性自衛官の隊内結婚率が高いのはご存じですよね」

男性自衛官は女性自衛官の数が圧倒的に「足りない」ので隊内結婚率はそう高くないが、女性自衛官は99%までが隊内結婚と言われるほどである。わざわざ外に恋愛や結婚の相手を求めなくても、隊内で常に同年代の男性に囲まれている環境であれば、自然とそうなるものらしい。

頷いた今村に千尋は付け足した。

「隊内結婚者の離婚率が非常に高いことも？」

それも常識だ。

最大の理由は、結婚してからの転属である。

結婚しているからといって、夫婦共に同じ転属命令が出るわけではない。先に転属したほうに続けて残ったほうにも転属がかかる場合があり、夫婦とはいえどちらが本宅なのか分からなくなってしまうようなことも多々ある。

お互い同じ駐屯地への転属願いを出しながら実質単身生活である。上官も気遣って同じ駐屯地に転属できるように配慮してくれることもよくあるが、夫の上官が気を利かせて妻の駐屯地へ転属命令を出したら、妻の上官も同じように気を回しており、夫婦入れ替わりの転属結果となってしまったというようなことも笑い話ではない。

「コラムでは様々な結婚経験のある方にお話を伺っていきたいと思っています。破綻《はたん》してしまう若い隊員たちが多い中、先達や同輩の実話から結婚というものを意識し直す契機となってくれるようなコーナーに育てたいんです。もちろん将来的には離婚経験のある隊員の談話も載せたいと思っています」

千尋ちゃん――矢部二尉の声は真摯《しんし》だった。単純に面白がって今村に白羽の矢を立てたわけでもなさそうだ。

しかし、と今村は逃げを打った。

「それなら若い者に話を聞けばいいだろう」

「もちろん若い隊員たちにも話を聞いていきます。しかし、隊内結婚者の離婚率の高さは自衛隊全体の問題でもありますし、あらゆる年代の方の視点を頂きたいんです。そうした意味で、第一回目に今村二佐の談話を頂くことが重要なんです」

だからなぜ俺だ。仏頂面で今村は音を立ててお茶をすすった。

「第一空挺団は他に似た部隊がないという意味で、自衛隊全体の中でも特殊な部隊の一つです。その部隊の二佐、熟練の幹部が結婚観を語るということで第一回目のインパクトが期待できます。また、隊の知名度と今村二佐のご階級を利用させて頂くようで心苦しいのですが、連載一回目でそれだけのゲストを確保できたらその後の展開が広がります」

何が心苦しいだ、利用する気満々じゃねえか——と腹の中では吐き捨てるも、千尋の頭の良さは認めざるを得ない。

今村の二佐という階級がまた手頃だ。下士官は二佐まで協力している企画なら、と辞退するのが難しくなるだろうし、今村が乗った企画ならまあ乗ってやろうかという上官にも心当たりがある。空挺団にばかり話題を攫《さら》わせてなるかと乗ってくる隊も増えるだろう。

千尋がそのコラムを埋め草で終わらせる気がないということはよく分かった。隊内離婚の多さを彼女なりに問題提起しようとしていることも。

自分が俎上に載せられるのでなければその意欲を賞賛さえしたかもしれない。

だが、長女に亭主関白と説教を食らいながら五十代まできた今村には、やはり他人——しかも、東部方面隊全体に配られる『あづま』に妻との馴れ初めを語るなどという事態は我慢できそうになかった。

酒の席で部下には漏らせても、『あづま』となると規模は一体何倍だ。

「君の熱意は大変よく分かった」

千尋の表情がパッと明るくなる。その表情をできるだけ短く収束させるため「だが」と逆接の単語を早口に口走ったのは、多少の罪悪感でもあった。

「プ、プ……」

カタカナに引っかかって口籠《くちご》もっていると、それまで黙ってお茶をすすっていた吉敷が「プライバシー。あるいはプライベート」と場に合う単語の助け船を入れた。

「プ、プライベートな話の開示は、やはり当人に決定権を頂きたい。結婚にまつわる話は私だけでなく妻のプライバシーでもある。私の一存で決められることではないし、いくら食い下がられても話すつもりは一切ない」

「――分かりました」

千尋は俯いたまま意外とあっさりそう言った。

やっと手が切れるという安堵《あんど》より、突き放した罪悪感のほうが大きかった。

「今日はもう失礼します」

千尋が席を立ち、吉敷もそれに続いた。

＊

千尋の帰り際の表情が窺えなかったことが妙な心残りになっていた。

突き放しても突き放しても挫けないあの「千尋ちゃん」がどんな顔をして帰ったのか。

コンビの吉敷に訊けば分かることだが、まかり間違って泣かれていたりしたらと思うととても携帯は鳴らせなかった。長女といくつも年が変わらないような娘を半ば自分の意地で泣かせたとなると、罪悪感が膨れ上がることは分かり切っている。

多少しょぼくれて官舎に帰り着くと、すき焼きの匂いがした。

さすが古女房、亭主がへこんで帰宅するのを察知したか。

「今帰った」

奥に声をかけながら靴を脱ぐ。そのとき微《かす》かに違和感を覚えたが、その違和感は邦恵のスリッパの音にすぐまぎれた。

いつもの通り制服のボタンを外しながらリビングに向かうと、邦恵はリビングに入る前に背中から脱がせた。いつもよりタイミングが早いなと思いながらネクタイも解《ほど》いて渡す。

「ワイシャツはまだ着てらしてくださいな」

中途半端な着替えを不審に思いながらリビングに入り、今村は腹の底から怒鳴ることになった。

「何でお前らがここにいる――――――――!」

違和感の正体に今さらながら思い至る。――玄関に靴が多かったのだ。

ラグの上に座っていた吉敷が気まずそうに肩をすくめるような礼をし、千尋はと言えば、

「どうもお邪魔してますー！」

と、突き放しても突き放しても挫けない例の千尋スマイルで三つ指を突いた。

「邦恵っ！」

千尋を相手にするのは分が悪いので邦恵に突っかかると、

「せっかくご馳走《ちそう》の前なのに、あんまり怒らないでくださいな。まずはご飯にしてしまいましょう、食べながら説明しますから」

あっさりいなされた。

図らずも子供たちがいた頃の位置取りでつつくことになったすき焼きは、国産黒毛和牛だという。

「こんな奴らにそんないい肉食わす義理があるかっ」

不機嫌極まりない今村を尻目《しりめ》に、千尋は「わー！　柔らかくっておいしーい！」などとはしゃいで箸を伸ばしている。日頃は隊舎でまずい飯しか食っていない吉敷も黙々と鍋をつついているので、今村も自分の取り分を確保するためにブツブツ言いながらも食べざるを得ない。

腹に食べ物が入って必然的に落ち着いてしまった辺りから、邦恵の説明が始まった。

「今日の三時くらいだったかしら、矢部さんがうちに電話をくれたのよ」

初めまして、広報部の矢部と申します。実は今村二佐と奥様の馴れ初めを伺ってコラムの記事にしたいのですが、奥様のプライバシーにも関わることなので自分の一存では勝手に話せないと今村二佐が仰《おっしゃ》って。お暇なときに企画のご説明とお願いに上がってよろしいでしょうか。

千尋はそんなことを言ったらしい。

「それで私、嬉《うれ》しくなっちゃって」

「嬉しいって何がだ。電話するなり押しかけてきたこの迷惑なバカモノどものどこがだ」

「今日お呼びしたのは私ですよ、千尋ちゃんと吉敷くんにはお買い物も手伝ってもらったの。ほら、今日はちゃんとビールが出てるでしょう？　発泡酒ならまだ残ってたんだけど、せっかく吉敷くんが持ってくれるっていうからちょっと多めに買っちゃった。千尋ちゃんには下ごしらえも手伝ってもらったし。お買い物も晩ご飯の準備も、久しぶりに賑《にぎ》やかで楽しかったわぁ」

それで嬉しかったっていうのはね、と邦恵の話はまだ続いた。

「私との馴れ初めなんて勝手に話していいのに、あなたが私の気持ちをちゃんと気遣ってくれたのがすごく嬉しかったんですよ」

それはその場凌ぎの言い訳に過ぎなかったので、良心が大きく揺さぶられた。

「それに私も、あなたがどうして私と結婚しようと思ったのか聞いたことがなかったから。千尋ちゃんの取材でそれを話してくれるなら聞いてみたいなと思って」

「それでまさかお前、……」

恐る恐る今村が訊くと、邦恵はにっこり笑って頷いた。

「私は全然かまわないって千尋ちゃんにお答えしましたよ」

テーブルに突っ伏すには卵の碗《わん》だの皿だの箸だのが邪魔だったし、千尋と吉敷の手前もあって今村は懸命に平静を保った。

向かいでニコニコ笑っている千尋は、暗に「安心してください、二佐が奥様を盾にしたことは絶対黙ってますから」と言っているような気がした。吉敷は吉敷でこれもまた内心が読めないポーカーフェイスだが、その表情の変わらなさに何故か疚《やま》しさが煽《あお》られる。

「そうだ、主人の写真は載るのかしら？」

「もちろん」

「よかったわねえ、あなた。吉敷くんは写真がとてもお上手だそうよ。ハンサムに撮ってもらえるといいわね」

吉敷の腕前など分かり切っていたが、無邪気に喜ぶ邦恵に合わせて笑ったふりをする。

「何なら奥さんもご一緒に撮りますか？　カメラ持ってきてますし」

何を思ったか突然そう提案した吉敷に、今村は目を剝いたが妻は嬉しそうに手を叩いた。

「いいの⁉」

「結婚に関するコーナーですからね。ご夫婦の写真のほうが映えるかもしれません。もし使わなくてもちゃんと焼いてお送りしますよ」

「待って待って、ちょっとお化粧直してくるから！」

早速腰を上げた邦恵に、吉敷がアドバイスを飛ばした。

「あまり濃くないほうがいいですよ。薄化粧くらいのほうが室内では映えます」

邦恵がリビングを出るなり今村は吉敷に嚙《か》みついた。

「俺はな吉敷、俺は今、『ブルータスお前もか！』という気分だぞ！」

「いいじゃないですか。奥さん喜んでるんだし。喜ばせてあげたくなる奥さんですよ」

吉敷は今村を無視して早速カメラの調整に入っている。

「テーブル片付けたほうがいいな、……矢部二尉頼みます」

「あいよっ」

少し飲んだビールが回っているのか、千尋はおどけた返事で立ち上がり、食べ終わっていた食卓を片付けはじめた。手元は怪しくないので機嫌がよくなっているだけらしい。

邦恵が再登場するまでにテーブルの上はきれいに片付いたので、ニコニコの千尋ちゃんは手際のいい千尋ちゃんでもあるらしい。

「ソファに並んで座ったほうが収まりがいいですね。はい、もうちょっと寄り添って……奥さん表情いいですね、二佐も負けずにいきましょう」

ってこの展開で呑気《のんき》に笑えるか！　と今村の笑顔は引きつり気味である。

何度かデジカメのシャッターを切った吉敷が、写りを確認しながら諦めた調子で指示を変えた。

「方針変えましょう、奥さんはそのままでいいです。今村二佐はできるだけ生真面目な、怒ったような顔してください。今の気分にぴったりでしょう」

「えー、そんな写真で絵になるの？」

茶々を入れる千尋に吉敷は真顔で答えた。

「生真面目な旦那さんとそれを支える朗らかな奥さんって構図は、今村二佐に嵌《は》まると思うけど？」

勝手に言ってろ。ともあれ、むすっとしていればいいのなら今の気分に課題は易しい。

また何枚かシャッターを切って、今度は吉敷の満足のいく写真が撮れたらしい。

「どうですか」

液晶の確認画面で見せられた写真は、邦恵の穏やかさと今村の厳格さ（というより後ろめたさやその他による不機嫌ヅラ）がいい感じのミスマッチになって面白かった。

「使うかどうかはお約束できませんが」

「いいのよ。何の行事があるわけでもないのに、この年にもなって夫婦の写真をこんなに上手な人に撮ってもらえるなんて素敵だわ」

「では、取材は明日伺ってよろしいんですね？」

帰り際に確認した千尋は結局十時近くまでいた。帰りは本人も自衛官なうえ吉敷と一緒だから心配するまでもないだろうが。

「ああ、明日でいい。しかし家へは二度と来るなよ」

「まあまああなた、そんなこと仰って。お二人とも、本気にしないでくださいね。この人は一回機嫌を悪くすると長引くだけなんですよ。一晩寝たらけろりとしてるんですから」

邦恵に混ぜっ返されながらようやく二人を玄関から追い出す。

記事は邦恵も読むのだから、適当なことでお茶は濁せなくなってしまった。断る理由に邦恵を使った自分のミスか、それともバチが当たったか。後者のような気がして気持ちがやや萎《しお》れる。

「風呂《ふろ》！」

言うなり奥へ踵《きびす》を返した今村に、「はいはい」と邦恵はいつもより朗らかな返事をして風呂場に立った。去年、おととしと立て続けに子供たちが結婚し、静かな暮らしになっていたところへ、千尋のような賑やかな娘は楽しい来客だったらしい。

そんな邦恵の様子を見ていると、二度と来るなは少し言い過ぎだったかと思わないでもない。

「そういえばお前はいつ決めたんだ」

「何ですかぁ」

湯を張る音で聞こえにくいのか、邦恵は訊き返してからリビングまで戻ってきた。

「いや、お前はいつ決めたんだ」

「何をですか」

「結婚相手を俺にだよ」

「あらいやだ」

邦恵は恥ずかしそうに手を振りながら答えた。

「私は一目惚《ひとめぼ》れに近かったですよ。お見合いのとき、私巧く草履が揃えられずにじたばたしてたでしょう？　どうしよう、どうしようと思ってたら、あなたが何気なく後ろ襟に指を引っかけて支えてくれて。制服の似合うかっこいい男性にあれほど気障《きざ》に助けられたら、世慣れない小娘なんかいちころですよ。釣書のお漬け物も笑わずに話を聞いてくれたし」

ああ、妻のほうも初めての出会いを自分と同じくらい詳細に覚えていたのだなと思うと、急に重ねた年月がありがたくなった。

古女房、漬かったほどに味も染み、か。

しかし、助け方が気障だったというのは不本意だったので、明日の取材に備えては邦恵の側の感想は今日聞かなかったことにした。

＊

お付き合いから、とは言ってもそれは結婚を前提としたお堅いものであって、イマドキのようにうっかり婚前交渉などというわけにはいかない時代である。

まずは互いの家を訪問し、最初の数回は会うセッティングも仲人任せだ。実質的な交際は仲人の「後は二人で」という許可が出てからである。

そうして始まった邦恵との交際は、映画を観たり景勝地へ行ったり、夜はせいぜい早い晩飯までで、それも晩飯を食ったときは家まで送るのが義務である。

見込んだ男にやりたいなどと言ってくれた割に上官の瀬戸山は夜の七時も過ぎると娘の帰宅を気にしてそわそわしはじめるらしく（夫人からの情報である）、門限は暗黙の了解で八時までということになっていた。

付き合いはじめて半年ほどが見合いで最終決断を出さねばならない期限らしい。そして、今村と邦恵の付き合いもその期限に近づきつつあった。

仲人には定期的に「いいお付き合いをさせていただいています」と報告を入れていたが、

二人がなかなか結論を出さないことを周囲は心配していたらしい。

男の自分から申し込むべきだろうな、ということは分かっていたが、どうもこれというきっかけが摑《つか》めなかった。

基本的に返事は仲人を介するので見合い相手の意向は関係なくさっさとこちらの意向を伝えてしまえばいいのだが（そのための仲人だ）、邦恵のほうはどう思っているのか気になった。

もう少しゆっくり付き合う時間があればよかったのに、とも思った。途中までは仲人の采配《さいはい》が介在していたので、二人きりで行き先を色々案配できるようになったのはせいぜいこの三ヶ月ほどだ。

もう少し気楽に恋人のように付き合える猶予がほしかった、というのは当時の見合いの習わしではあり得ないことだったが。

そんなある日、今村の側に背広を新調しなければならない用事ができた。

「僕の用事で申し訳ないんですが、よかったら次の日曜は百貨店に付き合ってもらえますか。いつも制服三昧《ざんまい》で背広なんかほとんど買ったことがないので、一緒に見立ててくれると助かるんですが……」

はい、かまいませんわ。

邦恵はいつものように穏やかな返事だった。

今村に遠慮しているのか元々内気なのか、邦恵が今村の提案に異を唱えたことは一度もない。それも踏ん切りがつかない理由の一つだった。見合いも断るに断れなくて流されているのでは、と心配になる。

地元の伊勢丹《いせたん》の前で十一時に待ち合わせをして、レストラン街で食事をしてから背広はゆっくり見ることにした。

吊《つる》しでいいからそこそこの季節物を二着ほど新調したい旨を売り場の店員に伝えると、店員は今村のサイズを測っていろんな品を出してきた。遠目にはどれもこれも似たような色合いに見える。それも仕方がない、背広に使える色柄は限られているから女性服のようにカラフルにはならない。

邦恵にはつまらなかったかな、と心配になったのはそのときである。邦恵は試着をする今村のコートを預かってくれていたが、似たような背広をとっかえひっかえする男を待つのは退屈ではないだろうか。

店員はその微妙な色柄にワイシャツやネクタイを合わせつつ「ほら、こうするとシックで素敵でしょう」などと売り込んでくるが、今村にはどれがどうとはピンとこない。

こりゃ男のほうはダメだ——と見限られたのか、店員は邦恵を振り返った。

「奥様、いかがです？」

と、邦恵は「あ、はい」と答えて店員に呼ばれるまま今村のそばに寄り添った。

「こちらの組み合わせなどは旦那様にぴったりだと思うんですけど」

「ええ、でもワイシャツはストライプがもう少しシンプルなほうがいいと思います」

店員と話し込みはじめた邦恵に今村は呆気《あっけ》に取られるばかりだった。

——あなた、まだ俺の奥様じゃないし俺が旦那様でもないでしょうが。

「それと、もう一着は三回前に試着した背広がいいんじゃないかしら？　もう一度出していただけます？」

試着をしっかり見て覚えていたのも驚きだ。

邦恵の言ったものを店員がもう一度今村に当て、邦恵は満足そうに頷いた。

「とてもお似合いですわ」

「そ、そうですか」

頷きながら袖口の値札をこっそり窺うと、邦恵の見立てを両方買うと少し足が出る値段だった。だがせっかく見立ててくれたのだからここは思い切るか、と思っていたら、邦恵は両方の背広にワイシャツとネクタイを案配しはじめて、最終的には今村が最初に告げていた予算の中で納めてしまった。

裾《すそ》上げには数日かかるというのでその日は手ぶらで帰ることになり、売り場を出てから今村は毒気を抜かれたように呟いた。

「あんなに積極的なあなたは初めて見ました」

「女ですから買い物は男性より好きですし得意ですよ」

邦恵は笑いながら小さく舌を出した。

「あんまり口を出したら図々《ずうずう》しいかしらと思って我慢してたんですが、今村さんの試着を見ながらうずうずしてました」

ああ、それだ。

「それもびっくりしましたよ。僕らは今村さん邦恵さんじゃなかったんですか」

店員の奥様旦那様呼ばわりに異を申し立てなかったことを思わず問い詰めると、邦恵は朗らかに笑った。

「店員さんにそう見えるならそれは楽しいかしらと思って」

それから小さな声が呟いた。――奥様と呼ばれてちょっとドキドキしました。

小柄な邦恵を斜め上からそっと見下ろすと、頰が薄く一刷毛《ひとはけ》赤く染まっていた。

彼女しかいない。煮え切らなかった気持ちが固まったのは、その瞬間である。その場で告げてもよかったほどだが、上官二人に監視されている見合いの段取りをすっ飛ばすわけにもいかない。

「来週は紅葉を観に行きましょうか。そろそろ見頃のはずです」

「ええ、喜んで」

今村が結婚の意志を報告したのは、二人で紅葉を観に行く前である。邦恵からの返事もすぐに来て、紅葉を観に行くときは初めて恋人同士のように手を繋《つな》いだ。

＊

——それでは最初のお見合いで奥さんの印象がよろしかったんですね？

「そうですね、その框から転がり落ちそうになりながら一生懸命草履を揃えようとしている姿で、きちんと躾をされて大事に育てられたいいお嬢さんだなぁと思いました。特技がお漬け物というのは少しばかり意表を衝かれましたが、家事も上手なお嬢さんなんだろうなぁと」

——奥さんの側の印象はどうだったんでしょうか？

「それはちょっと分かりませんね、本人に直接訊いたことはありませんから。しかし、仲人さんを介してお付き合いしたい旨のお返事を差し上げて断られなかったので、真面目に受けてくれたものだと信じています」

——その後、半年のお付き合いでご結婚を決められた、と。奥様に対する決め手は何だったんでしょうか？

「私が背広を新調する用があって二人で伊勢丹へ行きまして。試着の間、コートを持って待っていてもらったんですが、そのとき、店員さんが妻に『奥様』と声をかけましてね。そしたら妻は『はい』と答えたんです。おいおい、あんた俺の奥さんかね、と。だったらもらっちまうぞ、というのは冗談ですが、背中を押されたのは確かですね。少しのんびりしたところもあるお嬢さんでしたが……」

――そうですね、おっとりした感じのかわいらしい素敵な奥様でした。

「余計なことは言わんでいい。……しっかりするところはしっかりしていて、この人なら安心して自分が不在のときの家を任せられると思いました」

――家を任せられる、というのは……

「自衛官はいつ有事が発生するかまったく分からない職業です。そんなときに自分の家が気にかかるようでは、国防の任を果たせません。一朝我が身に何かあったとしても、妻が家庭を守ってくれるという信頼があってこそ、我々はどんな任務にも赴ける。妻は自衛官のお父上の教育もあったからかもしれませんが、そうした意味で非常に信頼のおける女性だと思いました」

千尋がレコーダーを止めてから、ようやく今村はほっと息をついた。

「いいか、無難な記事にしろよ、余計な誇張はするなよ」

立て続けに刺した釘《くぎ》に、千尋は「信用ないなぁ」とぺろりと舌を出した。

よく言えば仕事に熱心、悪く言えば貪欲《どんよく》なことは思い知ったが、余計なことを書かないという信用に関してはまるっきりゼロ値である。

「最後に個人的に伺いたいことがあるんですが」

「何だ」

「自衛官同士の結婚についてどう思われますか」

自衛隊が女性を採用しはじめてから急激に増えた結婚の形式がそれだ。

カメラを片付ける吉敷の隣で、千尋は真剣な眼差《まなざ》しで今村を見つめている。

「辛辣《しんらつ》な意見になるが構わんか」

頷いた千尋に今村は答えた。

「どこまで自分の職業を自覚して自衛官同士まとまってるか、甚だ疑問な若い連中は多いな」

「と、仰いますと」

「子供がいない間はいい。しかし、子供ができたらどちらかが隊を辞すべきだというのが私の意見だ。子供ができても夫婦揃って自衛官をやってる連中は、もしものときのことを考えているのか」

一朝ことあれば戦地に赴く可能性も命を落とす可能性もある自衛官だ。

「夜中に非常事態が起こって全隊に召集がかかったとしよう。夫婦で自衛官をやってる者は子供をどうする？　預かってくれる実家が近い幸運な者ばかりじゃないだろう。夜中に子供を預かってくれる保育所やベビーシッターがあるのか？　遠方から身内が駆けつけるまで子供を家に置きっぱなしにするか、それとも子供連れで駐屯地へ来るか？」

「でも、官舎には奥さんが元自衛官で専業主婦になった家庭もたくさんありますから……事情を話して預かってもらうとか」

その意見が出てくる時点で千尋もまだ国防の真髄を分かっていない。

「その非常事態で夫婦が両方死んだらどうする？」

千尋が一瞬で青ざめて俯いた。

「隊内結婚については様々な意見や選択があろうと思う。子供は作らないというのも一つの選択だし、実家の協力が得られるのなら、官舎の付き合いも含めて有事の預かりネットワークを作り、いざというときの後見人を立てておく方法もある。逆に言えば、そこまで考えて家庭を持っている若い隊員がどれだけいるか。若い人にそこまで考えろというのはシビアかもしれないが、自衛官とはそういう職業だ。君も幹部たらんとするなら、有事を架空の想定にするのはやめなさい」

言いつつ今村は席を立った。インタビュー室になっていたのは応接室だ。

「今村二佐ッ！」

呼び止めた声の鋭さに振り向くと、千尋が今村に向かって立ち上がり、敬礼をしていた。

「貴重な訓辞を頂きましてありがとうございました！」

この娘も自衛官だな。——まだまだ卵だが。

そんなことを思いながら、今村は肩越しに手を挙げて部屋を出た。

*

習志野駐屯地内の駐車場に向かいながら、千尋はずっと無言だった。

カメラバッグを提げてついてくる吉敷も付き合いのようにずっと無言だった。

「ねえ」

ようやく千尋が口を開いたのは、乗ってきたバンにたどり着いてからである。

「もし、結婚して子供ができたらどうする？」

「俺が辞めるよ」

当たり前のように吉敷はそう答えた。

「お前は幹部なんだから人生設計的にもお前が残るのが正解だ。俺なら写真で食えるツテも多少あるしな。一緒に住めるときは一緒に住めばいいし、無理なときは離れて暮らせばいい」

何でもないことのように言いながらカメラバッグをトランクにしまった吉敷に、千尋は背中から抱きついた。

「よせよ、駐屯地内だぞ」

邪険に、しかし手加減して振り払おうとする吉敷にますます強く抱きつく。

吉敷なら子供ができても後顧の憂いはない。自分が命を落としても家庭を任せられる。

大好き、と呟くと、俺もだよ、と吉敷は千尋の髪をぐしゃぐしゃかき回した。

Fin.

軍事と
オタクと
彼

Military Affairs,
Otaku,and He

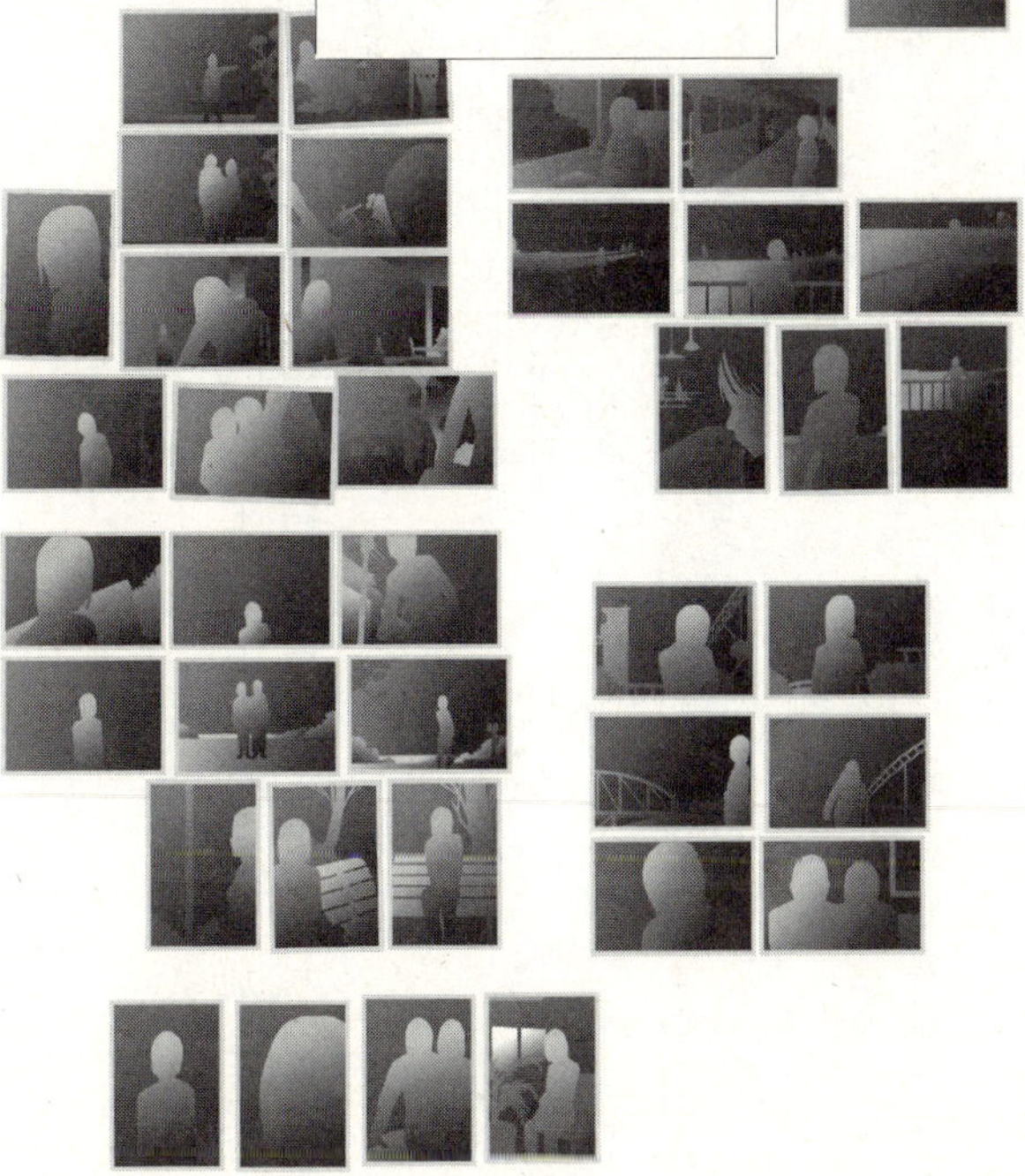

＊

その日、桜木歌穂《さくらぎかほ》は大阪ミナミで学生時代からの友人たちとの飲み会に参加していた。高校生の頃からの付き合いで気心も知れている仲間同士で飲むと、あっという間に終電を気にしないといけない時間になる。

「あかん、あたしもう帰らんと」

腕時計を見た歌穂に、女友達が声をかけてくれた。

「ええやん、うちに泊まっていきや。汚い部屋やけどな」

終電を逃したときにいつも泊めてくれる一人暮らしのユッコだ。

「何言うてんの、ユッコの部屋いっつもキレイにしてあるやん。でも今日はあかんねん、明日の録画の予約忘れてきた」

「家の人に電話で頼まれへんの？」

「弟が部活の合宿で家におらんねん」

両親は歌穂が自前で持っているＨＤＤプレイヤーには触るのも恐いという有様で、予約その他の操作はからっきしだ。かといって翌日の早朝に歌穂が帰るのもきつい。

「じゃあこれ、あたしの分置いてくわ」

途中で抜ける会費として四千円ほどテーブルに置き「足りひんかったらユッコ立て替えとって」とあたふた靴を履く。

別れの挨拶《あいさつ》もそこそこに歌穂は店を飛び出した。

自宅最寄り駅の上新庄《かみしんじょう》へは、終電まであと一本というかなりのギリギリだった。自転車置き場を借りてあるので、預けてある通勤用のママチャリを請け出して夜道を疾走する。もちろんライトはオンだ。小学校の頃ライトを点《つ》け忘れ、車に引っかけられて以来の習慣である。

徒歩十五分、自転車なら五分の自宅は昔ながらの木造建売、数年前に新築してやたらと浮いているガレージに自転車を放り込んで玄関の鍵《かぎ》を開ける。

「ただいまぁ」

高校生くらいまでは門限をうるさく言われていたが、二十代半ばになるとすっかり放置状態である。奥から夜更かし中らしい母が「おかえりー」とおざなりな声を返してくれるくらいだ。

歌穂は二階の自分の部屋に駆け上がった。歌穂の部屋にはサイズは小さいが自前の液晶テレビとHDDプレイヤーが揃っている。

えらい形見遺《のこ》してったよな、あの人。と弟などは未《いま》だにからかう。

テレビガイドを見て番組の時間を確認しながら予約を入れる。録画するのは——

日曜朝の二連発お子様向け特撮番組だ。

あーあ、あたしも何でこの年になって友達の飲み会中途で蹴《け》ってまで何たら戦隊何とかジャーとか何とかカブトライダーとか録《と》りに帰ってきてんねん。

服を着替えてシャワーを浴びに行く前にパソコンを立ち上げてメールチェックをすると、新着メールが入っていた。

悔しいけど一番嬉《うれ》しいアドレスの。

勇んで開けると、

『歌穂へ
お元気ですか、僕も元気です。
ところでジャンプの「パトリオット！」が打ち切りを食らったって本当ですか!?
気になって夜も眠れません！　打ち切りになった号を置いといてください！
光隆《みつたか》』

読んでキーボードの上にぐったり首が落ちた。

海外派遣で安否を気遣っている恋人が日本で待っている状況で、

「一番の心配が漫画の打ち切りって自衛官がどこの世界におるんじゃぁ――――!!」

光隆というのは森下《もりした》光隆、海上自衛隊の三曹で現在某国へ海外派遣中の恋人である。

『光隆へ
弟が打ち切りになったって言ってたよ。雑誌も買《こ》うてると思うからもろとくね。
今日はユッコたちと飲み会でした。今度合コンをやろうという話が出ています。
あたしも誘われたので久しぶりに行って来ようかなぁ～。
歌穂』

意地悪がてらそう叩《たた》き返してシャワーを浴びに行き、その晩はふて寝。

翌朝、悲しくも録画がちゃんとできているか確かめるために子供番組と同じ時間に目が覚める習慣がついてしまったままに起き出す。

パソコンを立ち上げるとまた光隆からメールが来ていた。

タイトルは『ごめんなさい』で、

『歌穂へ
ごめん、漫画のことだけでメールとかして気を悪くした？

僕的にはあまりにも衝撃だったので、うっかり歌穂のことを疎《おろそ》かにしてしまいました、ごめん！

こんな僕には歌穂が合コンに行くのを止める資格はないのですが、せめて僕が帰国してからになりませんか？

僕はしがないオタク自衛官だけど、一方的に歌穂を諦《あきら》めたくありません。某国は歌穂を争うには地理的にあまりにも不利です。何とぞそこのところご一考ください。

光隆』

……ああ、もう。

いつの間にか口ずさめるようになってしまった子供番組の主題歌を口ずさむ。二十代も半ばでこんなん歌えるようになっちゃったん、あんたのせいやで。子持ちの友達とリズムゲームでこの曲パーフェクトクリアできてまうし。

必死でこの文面を打ったであろう光隆の懸命な表情の想像がつく。

「早《は》よ会いたいなぁ……」

小柄なことと童顔をいつも気にしていた年下の恋人は、しかし歌穂にとってはその笑顔が悩殺級にかわいかった。

幸いなこと、光隆の活動している地域は治安が安定しているらしいが、それでも心配なものは心配だし、会えない寂しさはいかんともしがたい。

それでも歌穂の場合はまだマシだ。筋金入りのオタクでもある光隆は、何をどうやったものやら自前のモバイルを私物に持ち込んで、派遣先にネット環境を整えてメール連絡が取れるようにしてくれたのだから。たまに現地の人や仲間と笑っている写真が添付されてくる。

何とかジャーが終わってライダーが始まった。

イマドキの仮面ライダーは一緒に観たことがある。二人で初めて旅行した先で、日曜の朝っぱらから光隆が起き出して気を遣ったつもりか音量を絞って観ていたのだが、眠りの浅い歌穂はそれで目を覚まして結局一緒に観た。

何、このライダー！　あたしらちっちゃいときこんなんおらへんかったで！

えっと、これはコーカサスカブトムシがモチーフになってて、
コーカサスカブトムシってそもそも何⁉　それにこんなにいろいろライダー出して子供が全部そんなん分かるん⁉

それが分かるんだよね～、今ほら、昆虫キングってゲームあるだろ？　あれで今どきの子供って異様に昆虫に詳しいんだよね。それがライダー番組にもフィードバックされてるわけ。その知識が根底にあるから子供側も見分けバッチリ。

うわぁ～、侮られへんなあ子供産業！

そのときも嬉しそうに歌穂に番組の説明をしてくれて——でもごめん、その一生懸命の説明よりあんたの笑ってる顔のほうが魅力やった。

「笑顔が反則やってんよなぁ、あんたは」

合コン行こうかな、なんて思てる女がこんな休日の朝からオタクの彼氏に頼まれた録画のチェックなんかするわけないやん。録り損なったら「ごめーん」で済ますっちゅうねん。

でも、——一方的に歌穂を諦めたくありません。これは、ちょっと偉かった。

録画のランプを一応確かめてから、メールには『待ってるから早く元気に帰ってきて。大好き』とだけ返事を書いて歌穂はもう一度ベッドに潜り込んだ。

*

出会ったときからして笑顔でやられた。

その日、歌穂は五日間の出張を終えて大阪の本社へ帰るべく夕方の『のぞみ』に乗った。女だてらに営業ではそれなりの成績を上げてはいるものの、出張が連日続くと体力的な不利を自覚せざるを得なくなる。できるだけ荷物を少なくまとめるようにはしているが、五日ともなるとビジネスショルダー一つでは足りない。着替えその他で小振りのボストンが一つ必要になるが、五日間も関東圏内を動き回るとなると両の手だけでは最後に荷物が持てなくなる。

結果、カート付きボストンを引きずり回さなくてはならなくなるが、これが急ぎのときは取り回しが鬱陶《うっとう》しいことこのうえない。人混みは無闇に突っ切れないし、混み合う電車では露骨に邪魔者扱いをされることもある。

そのときの出張もそんなことの連続だった。体力値は0ポイントに近く、また博多《はかた》までの最終に近い便なので自由席は列車待ちの段階で長蛇の列だった。

この際喫煙車でも、と妥協して三号車の列に並んだが、結局先頭の禁煙車両まで流れてきても、空席の取り合いは空振りばかりだ。かさばるカートを引きずっている身の上ではなおさらである。

平社員の出張に指定席を使わせてくれるような気前のいい会社ではないが、自腹で指定に切り替えようか。そんなことも思って通りがかった車掌に声をかけてみたが、指定席も満員でグリーン車までぎっちりらしい。

せめて通路の端にカートを寄せ、その上に軽く腰を乗せる。出張のときはしっかりしたヒールの靴と膝丈《ひざたけ》のパンストで済むパンツスーツだが、それでも足がぱんぱんにむくんでいるのが分かる。

品川を越え、新横浜を越えた。さすがにここらで降りる客はいない。

降車で人が動くのはせめて名古屋だろう。それでももたついていたら席は取れまい。

誰か替わってくれないかな、などとそんな夢のようなことを考える。

アホらし。あたしが座ってても替われへんわ、こんな状況で。

内心自分で突っ込んだとき「あの」と声をかけられた。カートを寄せていたほうの席の乗客だ。反応しないでいたら、遠慮がちに背中を叩かれた。自分宛だと分からなかったので
スーツだから辛うじて社会人と分かるような童顔の男だった。

何や、カート邪魔やからのけとでも言いたいんけ。すっかりやさぐれていたので無愛想に「何か?」と問い返す。

すると男は高校生かと突っ込みたくなるような笑顔で言った。

「あの、僕ちょっとトイレ行きたいんでカート寄せてもらえますか? それと良かったらその間この席座っててください」

思いも寄らない申し出に、少しでも足を休めたいという欲求が勝った。返事もできずにこくりと頷《うなず》くと男は席を立ったが、その背丈は一六〇cm半ばの歌穂とそう変わらない。

「どうぞ」

促されるまま、歌穂は男の空けた通路側の席に座った。むくんだ足が途端に楽になる。

「すみません、ありがとうございます」

たとえトイレに行く間の短い時間でも、足を休められるのはありがたかった。

そのまますぅっと目が閉じたのは、出張疲れが溜《た》まっていたのだろう。彼が帰ってくる

まで、と言い訳しながら眠気に身を委《ゆだ》ねる。

時間かかるほうやったらええな、と思ったことは内緒だ。


目を覚ますと足のむくみが楽になっていた。そしてかなりの熟睡感。

はっと気づいて顔を上げると、歌穂の席から通路を挟んだ向かいの席の背もたれに件《くだん》の童顔君がもたれていた。混んでいる車内なので、もたれられているほうからも文句は出ていないらしい。

童顔の彼はにこっと笑って、

「荷物大丈夫ですよ。見てましたから」

と荷棚を指さした。荷棚は空いていたのだが、歌穂には持ち上げられなくて諦めていたものを上げてくれたらしい。

いや、ちゃうやろあんた！

思わず関西人の習性で内心突っ込み、慌てて席を立つ。

「ごめんなさい、あたしどれくらい寝てました⁉」

訊《き》いたところに車内放送が流れた。名古屋まであと少々。

カァっと頬に血が昇った。軽く一時間は爆睡している。

「ごめんなさい、あたしこんな図々《ずうずう》しい……起こしてくれはったらよかったのに」

「あ、いいんですよ。そのまま席譲るつもりだったんで」

童顔の彼はまた高校生みたいな顔で笑った。

「あなたより僕のほうが絶対疲れてないし体力あるから」

うわ、今どきこんな親切な人おってええの⁉　内心愕然《がくぜん》としながら歌穂は席を立とうとした。

「ごめんなさい、でも充分休ませてもらったしもうええです」

「どこまでですか？」

「新大阪……」

「じゃあ、後ちょっとじゃないですか。そこまで替わりますよ、座っててください。僕、博多までなんでそれくらい変わりませんよ」

正直に言う。このとき胸キュンやった。

東京から博多まで乗るのに、この小柄な兄ちゃんは路線の半分も席を譲ってくれはった。童顔やけど顔も悪くないし――あたしが恋に落ちたって仕方がないというもんやろう⁉

名古屋から新大阪まで話は弾んだ。職業を訊いたときだけちょっと困ったように「国家公務員です」と答えたのが印象に残り、「関西に来られたことありますか？」と話を振ると、彼はまた答えにくそうに「舞鶴《まいづる》にしばらく」と返事をした。

あ、と思い当たる。京都で舞鶴と言えば、

「もしかして自衛隊の方ですか？」

「そうですね、海上になります」

職業の話に受け答えが消極的だったのはそのせいらしい。歌穂の表情をどう読んだか、また愛くるしく笑って頭を掻《か》き、

「あんまり好感度の高い職業じゃないですから」

って——その笑顔があたしにはもう好感度バリバリ高いんやんか！

「あたし、別に気になりませんよ」

どう受け答えればいいのか分からないので無難にそう言って、

「だって、博多まで乗らはるのにあたしに路線半分譲ってくれはって。あたしにとってはすごく親切な普通の男の人です。それ職業とかそんなん関係ないし。あたしめちゃめちゃ疲れてたから、ものすご助かったし」

まくし立てずにいられないのは関西人の性《さが》だ。

彼はやはり席の向かいに立ったたまま、照れたように会釈をした。

「そう言って頂けると嬉しいです」

うわ、やばい、これは落ちる。

あたしが落ちる。この人に。

京都に到着するアナウンスが入った。

「京都を出たら荷物を降ろしたほうがいいですね」

京都でかなりの数の乗客が捌《は》けたが、それを理由に彼は空席には座らなかった。新しく乗り込んできた乗客でせっかく空いた席が埋まる。

新幹線が滑るように走り出してから、彼は荷棚から歌穂のカートを降ろした。まったく危なげなく軽々と。小柄とはいえ自衛官だけあって鍛え上げてあるらしい。

新大阪まではあと十五分程度だ。気の早い乗客はもう立って乗車口に列を作っている。そうでなくとも気の早い府民性で、いつもなら歌穂もそのクチだ。

ああ、ずっと立たせてたんやから早《はよ》う席返さんと——そう思いながらも、名残惜しくてなかなか話が切り上げられない。

感じのいい、——男性には失礼な形容かもしれないが、かわいい笑顔のせいもあったと思う。

だが新幹線はもう減速に入った。いいかげん頃合いだ。

「あの、それじゃありがとうございました」

歌穂がお礼を言って席を立つと、彼も会釈で返した。

乗車口に向かう、しかし彼からは何もリアクションはない。

——えええい、こっちから釣ったる！

ここで別れたら「ちょっといい話」でおしまいだ。それで終わらせたくない。

「あのっ！」

歌穂はカートを置いて彼の席まで駆け戻った。スーツのポケットが定位置の名刺入れを出す。名刺は携帯番号も入っているバージョンだ。

「これっ」

びっくりしている彼の手に名刺を一枚押しつける。

「よかったら連絡ください、ちゃんとお礼したいし」

理由はいかにも付け足しだ。

返事は聞けなかった。発車時間が迫っていて、歌穂はカートを抱えて転がるように車両を駆け下りた。ホームに飛び下りたのが発車のベルのギリギリである。

滑り出したあひる口の『のぞみ』を名残惜しく見送る。

……もうちょっと、早く勇気出せばよかったな。そしたら連絡先も訊けたのに。

「しゃあないわ、あたしも決断が遅かった！」

きりをつけるために独り言を呟《つぶや》いて、歌穂は自分が最後の一人になったホームをカートを引いて歩き出した。

二、三日は彼から電話がないかなとドキドキしながら待っていたが、関西人は切り替えが早いのが信条だ。
やっぱりあんな直前で釣るのは無理やったか——と歌穂が諦めをつけたのは、出張から一週間後のことである。

＊

それから更に一週間が経過し、自宅の自室でだらしなく過ごしていた土曜日のことだ。

携帯電話に見覚えのない着信が入った。数回の様子見で切れないのでワン切りではないらしい。

「はい、もしもし？」

携帯変えた友達か誰かかなーと思いながら出ると、

「あ、もしもし……そちら、桜木歌穂さんでいらっしゃいますか」

この声！　脳内検索は一瞬で終わった。

「はい！　桜木です！」

声が一オクターブ跳ね上がり、だらしなくソファに足を上げて寝そべっていたのを正座に座り直す。テレビの音量もすかさずオフ。関西人の魂ではあるが吉本《よしもと》新喜劇の音声など聞かれたくない。

「あの、自分は……」

「覚えてます、新大阪まで席譲ってくれはった……」

「あ、はい。降りられる直前に名刺を頂いたのでご挨拶をと思いまして」

相手はどうやら相当緊張しているらしい。声がガチガチだ。

「こちらこそ図々しく名刺なんか渡してごめんなさい。もしかしてご迷惑じゃなかったかと思って心配やったんですけど」

「あ、そんなことは全然。ただ、ホントに電話掛けたら図々しいと思われないかなと心配で……それに女性に電話を掛けることってあまりないので緊張してしまって」

「もしかしてすぐお電話なかったんも緊張して迷ってはったんですか？」

「はあ、それもあるんですけど、航海で電波が届かない海域に出ていたもので」

そこまで喋《しゃべ》って相手はほっとしたように笑った。

「よかった、覚えててくれて。もう忘れられてたらどうしようかと思ってたんです。先輩たちには駄目元でかけてみろってハッパかけられてたんですけど」

あ、今もまたかわいい笑顔してんやろな。その笑顔を思い浮かべてからかいたくなる。

「すぐに電話もらわれへんかったから振られちゃったかなって思ってたんですけど」

「はっ……⁉」

予想の通り、相手は声もしどろもどろで動揺しているのが丸わかりだった。

「じ、自分が振るとかそういう……状況じゃないと思いますっ。電話掛けるだけですごく勇気が要ったのにからかわないでください、それに航海中ですぐに電話はできなくて」

「それ、もう聞きました」

うわ、めっちゃかわいいこの人。今までイニシアチブを取りたがる男としか付き合ったことのない歌穂には、その純情ぶりがとても新鮮だった。

「あの、まだお名前伺ってないんですけど伺ってもいいですか？」

分かっていて敢《あ》えてまだ触れていなかったところを触れると、「ああっすみません！」と声が女の子みたいに裏返った。

「自分は森下光隆三等海曹と申します！　佐世保《させぼ》基地に勤務しております！」

話をしているうちに、森下は歌穂より二つ年下の二十三歳であることが分かった。

「あたし二十五歳なんですけど、森下さんて年上はダメなほうですか」

「いえっ……！　そんなことは、全然……」

でも、あたしのほうから付き合いませんかとかは今言わへんよ。そんなに安く見せたくないし。電話の無言だけで緊張が伝わってくる森下を内心で意地悪く煽《あお》る。

「あ、あの……」

しばらくの空白のあと、森下が意を決したように口を開いた。

「名刺、頂いたお礼したいんですけど、何かありますか」

本末転倒なその申し出に歌穂は思わず吹き出した。

「森下さん、最初のいきさつ忘れてはるじゃないですか。あたしが席譲ってもらったお礼したかったから名刺渡したのに」

「あっ、ああ、そうか」

「お話ししててめっちゃ楽しかったから、このままでお別れにしたくないなぁって気持ちもありましたけどね」

さらりとそう付け加えると、また向こうで「ええっ」と緊張して固まる気配だ。

「いや、あの、ホントに……あんまりからかうと期待しちゃうから、勘弁してください。自衛官、女性慣れしてないんですから」

「そうなんですか、ごめんなさい」

あっさり引くと、向こうからはほっとしたようながっかりしたような微妙な気配だ。

「何か欲しいものとか、あって嬉しいものとかありますか?」

「ええと……どうせ男連中にたかられちゃうからなぁ……お菓子とかのが無難かなぁ」

「分かりました、じゃあ何か送らせてもらいますね」

でも何か悪いなぁ、大したことしてないのに、と恐縮する森下に、

「あんまり遠慮してたらせっかくの糸が繋《つな》がりませんよ」

そう言ってやると「ええっ」とまた動揺した声が上がり、歌穂はそれには答えず電話を切った。

関西で日持ちがして気が利いているお菓子というのは案外難しい。メーカーが大規模になっているので、大都市ならどこでも支店がある店が多いというのがネックだ。

結局中堅メジャーの店に出かけ、焼き菓子のセットを選んだ。森下がどの程度の規模の集団生活をしているのか知らないが、三十個もあれば顔見知りには足りるだろうと包んでもらう。

ついでに添える小物を探した。会ったときがスーツだったので使うこともあるだろうとちょっといいハンカチだ。歌穂にとってはむしろこちらが本命なので、選ぶにも気合いが入る。

ネクタイの柄がイマイチやったな、とも思い出したが、いきなりネクタイは重い。判断は努めて冷静にな、と自分に言い聞かす。初《しょ》っ端《ぱな》で首輪をかけにいくような女は引かれる可能性が大だ。狩りの基本である。

自衛隊の基地宛に荷物を送るなんて、初の経験だ。このお堅い住所で本当に届くのか、という懸念も少し。仕立てた荷物が向こうに届いた頃、また森下から恐縮した様子の電話があった。

「お菓子、ありがとうございました。すごくおいしかったです。部屋のみんなと取り合いで大変でした」

「え、そんな取り合うほど珍しいものでもないと思いますけど。ただのマドレーヌやし」

「若い女性からの差し入れってことで価値が跳ね上がるんですよ。もらった僕が一個確保するのがギリギリでしたから」

「わぁ、もうちょっとたくさん送ればよかったかなぁ」

「いやそんな！　五十個だろうが百個だろうが同じですよ、悪ふざけが好きな体力バカの若い奴が集団生活してるんですから。それよりあの……」

森下は少し口籠《くちご》もり、やや照れくさそうな声で「ハンカチもありがとうございました」と切り出した。

「女の人に何か選んでもらったことなんか身内以外にないので嬉しかったです」

そんな会話を交わしてから数日後、自宅にクール宅急便で辛子明太子《からしめんたいこ》が届いた。送り主は当然森下である。

下手なりに丁寧に書こうと頑張った跡がありありと見える礼状が添えられていて、お礼にお礼送ってたら終わらへんやんか、と内心くすくす笑いながらお礼の電話を掛けた。

「すごくおいしかったです、家族も大喜びで」

「ああよかった、こっちで自慢できるものなんかそれくらいしかなくて」

それをきっかけに電話やメールで知り合いレベルの付き合いが始まった。

歌穂が全国各地に出張が多いため、上陸するときは日にちを合わせて会ったりすることも少し。

＊

そんな付き合いのままで一年過ぎた。かなりいい感触の付き合いが。

「……なぁ。何でこんな寸止めみたいな感じで向こうは告白してけぇへんの？」

飲み会の席で愚痴った相手はいつもの女友達たちである。

「あたしが二つ年上やからか⁉　年上女はあかんのか⁉」

「自分から告白したらええやん」

というのは道理だが「だってきっかけはあたしから作ってんやで！　告白くらい向こうからされたいやんか！」これもまた道理であると認められた。

「他に女でもおるんちゃう」

と、友人たちも酒が進むうちに発言に遠慮がなくなってきた。

「船乗りゆうたら昔っから港々に女が……ってなぁ」

「森下くんはそんなことない！　めっちゃ純情やねんで！」

「いやいや、分からんで。意外とそんなタイプが転がし上手かもしれんで。特にあたしらみたいな年上女にはな」

「貢ぎもさせんとエッチもせんで転がすメリットどこにあんねん！」

酒の勢いに任せてあけすけな内情を吐くと、それはそれで盛り上がる種だ。特にメンツの中にボーイズラブ読みがいたのがよくない。

「実は本命は男ちゃう⁉　同じ隊の中に片思いの彼がおって、でも彼は完全ノーマルで、せめて疑われずそっと思い続けるために自分も偽装の女友達を作ろうと手近な女を」

「勝手に手近な女友達に格下げすんなぁ！」

歌穂が大いに荒れた飲み会になったことは言うまでもない。

ただの酒の席の戯《ざ》れ言、で済むはずだったのに、アルコールがイヤな具合にイヤなキーワードを残した。

港々に女、転がし上手、あげく同性愛疑惑。

森下に限って、と思うには寸止めでそれ以上のリアクションのない期間が長すぎる。

雰囲気でキスくらいならしそうになったことも何度かある。こっちは完全にそのつもりだったのに、雰囲気がことごとく流れたのは森下の純情か、「本命」が男女問わずどこか別にいるからか。

それともやっぱりあたしが二つ年上やからか？

洗面所の鏡を占領して、鼻がくっつくほど顔を近づけて検分した。肌の手入れは怠っていないし、二つ年下の女だか男だかにはまだまだ負けていないと思う。

と、洗面所の外を通りがかった大学生の弟が、

「姉ちゃん何してんの、あんまり顔近づけたら鏡割れんで」

と要らん茶々を入れ（弟の）死をかけた追いかけっこになった。大学で一応体育会系の部活に所属しているらしい弟には足を巧みに使って逃げられ、歌穂の蹴《け》りは閉まったドアを捉《とら》えるにとどまった。

「くっそぉ」

苛立《いらだ》ちを弟への怒りにすり替えながら自室に戻り、引きこもる。

正直、すぐに落とせると思っていた。

森下は最初から自衛官は女性と知り合う機会が少ないと強調していたし、歌穂は自分がそこそこ見映えを磨いている自信もあったので、女慣れしていない森下のようなタイプは一ひねりだと思っていた。

そんな自分の鼻っ柱もへし折られたようで情けない。会う度に森下は知り合い以上恋人未満のいい感じで、その状態を一年引っ張られるとは思わなかった。

女としてのプライドを見事に粉砕された形である。

そして、そんなときに限って色んな疑惑を加速するような出来事があった。

「修理で阪神《はんしん》基地に入るんですよ」

森下からの電話に、歌穂は「えっ、ホンマ⁉」とはしゃいだ声を上げた。何だかんだと会える機会を鼻先にぶら下げられると喜んでしまう自分が悔しい。

もしかして好きなのあたしのほうだけちゃう。沸き上がったそんな疑惑には取り敢えず蓋《ふた》。

阪神基地は六甲《ろっこう》アイランド近辺にいくつかある埋め立て地の一つ、魚崎《うおざき》に所在し、補給や修理の必要な艦が入港する。歌穂にとっても広く言えば地元圏内だ。

「ね、休みいつ？」

尋ねた歌穂に森下は自分の休日の日程を答えた。タイミングよく週末だ。

「やったら朝から一日遊べるねー！　外泊取ってくれたら京都とかも案内できるで！」

まだ二人で旅行などという段階ではないが、森下が外泊を取って夜遊びくらいならする親密度にはなっている。

「ええ感じの町家でごはん食べられるとこ知ってんねん、どう？」

今まで歌穂からそんなふうに誘って森下が断ったことはなかった。デートプランも歌穂の言うままで自分では思いつかない辺りにも女慣れしていない様子を感じていて、それが何だかんだと信頼にも繋がっていたのだが、

「あっ……ごめん、その日はちょっと。昼間はちょっと駄目で。夜からなら」

声に混じった後ろめたさにピンと来た。伊達《だて》に二つも年上じゃない。

「……何で昼間あかんの？　せっかくあたしも休みやのに」

「いや、それはその、用事があって、」

怪しんでくれと言っているようなしどろもどろの言い訳だった。

「あ、あの、その代わり夜！　夜、あのー、メリケンパークのホテルオークラでディナーおごるから！」

「随分詳しいねんね、神戸」

しかもいきなり出したのがオークラだ、後ろめたさの埋め合わせとしか思えない。

「別に無理して時間空けんでええよ、昼間に誰とどこ行くか知らんけど、夜まで楽しんできたら？　別にあたしら恋人同士って訳でもないんやし、お好きにどうぞ」

森下はまだ電話の向こうであわあわと言い訳していたが、それは無視して電話を切った。

「……敵は足元におったか」

よりにもよって関西——歌穂も一番会いやすい場所だったことがことさらにプライドを傷つけた。しかも優先順位は歌穂が後だ。

悔しさか悲しさか分からない涙が溢《あふ》れて歌穂は唇を噛《か》んだ。

——このまま済ますか畜生。

＊

して、問題の週末である。

阪神基地の最寄りのバス停近くに歌穂は朝早くから車で張り込んでいた。ドライバーは小遣いで釣った弟だ。

「なー、姉ちゃん。こんなことして意味あんの。振られたんやったらさっさと諦めたら」

「うるさい！　遊ばれてたかどうかは女の沽券《こけん》の問題や！」

「遊ばれる以前にまだ何もなかってんやろ」

「あたしのキモチを一年にもわたって弄《もてあそ》んだとしたらあたしには報復権がある！」

引っぱたくくらいのことはしてやる、と歌穂は助手席で歯がみした。

そして思ったよりも早い時間に、基地の方向から森下は現れた。同僚らしい男と一緒で背中には大きなデイパックを背負っている。

「よもや同性愛論が的中か!?」

変装用のサングラスを透かして二人を睨《にら》むと、弟が横から冷静なツッコミを入れた。

「ホモやとしてもデートならもっと楽しげな顔してるもんちゃう。あのチビのほうやろ？　どう考えても友達同士の間合いで、しかもへこんで慰められてる感じやであれは」

「ダブルデートとか合コンで緊張してんの励まされてるんかもしれへんやんかっ！」

バスが到着し、森下が乗り込んでから弟も車を出した。バスの後ろに付けて停留所ごとに路肩に寄せ、降車客をチェックする。

森下たちが降りたのは阪神御影《みかげ》駅である。そのまま電車を使う様子だ。

「ここからは車は無理やな」

「分かったありがと！」

言いつつ歌穂は車を降りて、徒歩の尾行に切り替えた。

いつもは下ろしている髪をアップにして、服装もいつもとは違う雰囲気にしている。とどめにいかにも日焼け止め目的の帽子と薄く色の入ったサングラスだ。これで距離を空けているのだから、森下が実は「港々に」の男だったとしても気づかれるとは思えない。

実際、森下は友達と喋りながら降りた三宮《さんのみや》駅まで全く歌穂には気づかなかった。歩いていくのはポートアイランドに繋がるポートライナーの駅である。

……合コンや何かにしては接続悪いとこ行くなぁ。そんなことを考えながら二人の後を追ったが——

何なん土曜の朝っぱらからこの混雑⁉

歌穂は森下を見失うまいと必死で車両の中を泳いだ。しかも乗客は男性が圧倒的に多い。

それも普通の人が見たら少し引くような——テレビで見るようなアキバ系風のもそれなりの割合で含まれていた。

それより何より、男がここまで集団状態であるということは必然的に、
いやーっ汗くさいちょっと何とかしてー！　むっとするような熱気に同乗している一般のお客、特にお年寄りや子供はぐったりしている感じだ。

その男臭い群れが、一つの駅で一気に捌けた。市民広場駅である。背の低い森下は完全に埋もれてしまっているが、同じ車両に乗ったはずなのに客が降りた後の車内には残っていなかったので、ここだと見当をつけて飛び下りる。辺りを見回すと、一つの大きな流れになって構内を歩いていく男の群れの中に森下の姿を辛うじて見つけた。

後ろからついていく限り、見つかる懸念はまったくなさそうだが、それなりに小綺麗《こぎれい》な格好をした歌穂はアキバ系の集団から完全に浮いている。森下との距離は大きく取るしかなくなった。

森下と連れが入っていったのは神戸国際展示場である。

「……ワンダーホビーフェスタ？」

どうやら入場券を売っているらしいが長蛇の列だ。森下から百メートルほど空けて列に並ぶが、周囲の「何でこんなのがこんなところに」という微妙に白い視線が刺さる。森下に見つかるのも困るので、できるだけ小さくなって列の中に埋もれる。

二十分ほどその行列を耐え、入場料を払って入場し、――何やこの空間は⁉

イベント名からオモチャの展示会かと思いきや、並んでいるのはやたらと精巧なアニメ美少女（それも服など着ていないに等しい裸状態のものも多数）やロボットの模型の数々だった。

待って待って、見たことある、見たことあんで、テレビで。フィギュアとかプラモとかそういう……

とにかく露出度の高いアニメ美少女の模型がずらりと並んでいるところは一般人として刺激が強すぎるので泳ぐように逃げ出す。

逃げ出してへたりこみそうになった先のブースに、歌穂も知っているゲームのキャラが並んでいた。

「あっト○ちゃん」

そんな場合ではないのだが思わず和む。

「わっ、女性のお客さんってうち初めてですよ！」

店員らしき若い男子に声をかけられ、歌穂はすっかりへたった状態からそのニキビっ面を見上げた。

「買っていきません？　うちバッジやストラップも作ってるんですよ。ほら、ストラップの紐《ひも》もかわいいでしょ？　姉に作ってもらうんですけど」

白いネコのストラップは紐の部分が凝ったビーズ編みだった。確かにこれは女のセンスでないとできない仕事だ。

「二千円だけどどうですか」

ビーズ細工は凝ったものほど値段が高いし、細工も巧《うま》かったのでその値段でお値打ちに思えた。それにその白いネコは好きなキャラである。紐を通すための穴がちょっと大きくて不格好な気もしたが表情はかわいらしかったし、判断力もほとんどなくなっていたので言われるがままお金を払ってストラップを受け取る。

と、ぽんぽんと柔らかい手に肩を叩かれた。振り返ると——

「キャアアアアアアアアッ⁉」

にっこり微笑んでいたのはアニメ美少女の着ぐるみだった。

確かにかわいい、アニメ顔そのままにかわいいのだが、素人一般女性がまったくの予備知識なしに遭遇するには衝撃が大きすぎる。

「桜木さん⁉」

名前を呼ばれて振り向くと、あれだけ大声で悲鳴を上げたのだから当然だが、会場中の注目が歌穂に集まっており、その中に森下もいた。

あるいは歌穂の悲鳴で気づいて飛んできたのか。

だがこんな状況で何を言ったものかなんて——

歌穂は床にへたり込んでいたのを無理に立ち上がり、会場の出口を目指して駆け出した。展示場を飛び出して肩で息をしていると、「桜木さん」と背中からばつの悪そうな声がかかった。

「すみません、ずっと言い出せなかったんだけど、僕……」

「あたしな」

歌穂は森下を振り返らないまま話を遮った。

「あたし、けっこうええ感じやのに森下くんが告白してくれへんの、他に本命おったり、港々に女がおったりとかやないかって疑ってたん。そやから今日も別の女を優先したんかと思ってたん。今日、もし別の女と会ってたらもう会うのやめよう思て、ついでに頬の一つも張らせてもらおと思て、後つけてたん。違ってたんな。森下くんは、趣味を優先させただけやってんな」

「あの、すみません、入港とあのイベントが重なるのってホントめったになくて珍しくて、同僚にも同じ趣味の奴いたから前々から約束してて」

「あたしもこんなん買ってもた」

振り返りながら買ってきたストラップを見せる。

「あ、けっこういい出来ですね。そのキャラ好きなら買いだと思いますよ」

と、森下は趣味のものを鑑定する口調になっている。そして、

「あの……今まで黙っててすみません。僕、けっこう重度のオタクなんです。桜木さんと付き合いたかったけど、僕の趣味って引く人引くから、ちゃんといろいろ白状してからにしないと駄目だって思って、でも中々白状できなくて」

「ごめん、確かにちょっと引いた。森下くんはどんなん買う人なん」

「あのぅ、説明してもご存じないと思いますけど、ガレージキットっていうものすごーく精巧なプラモデルみたいなもので、ロボットとかメカとか、そういう……今は艦内居住者なので買うのはスペース的に無理なんですけど、完成品見るのが楽しくて」

それから、と森下はこの際全部吐くつもりのようだ。

「漫画もめちゃくちゃ読みますしアニメも観ます。美少女系ももちろん。でもどっちかっていうと特撮で戦隊物とか仮面ライダーとか。あ、もちろんゲームも」

あの……と森下が口籠もった隙に歌穂は口を開いた。

「今日のが女じゃなかったのは嬉しい。でも、今はめっちゃ混乱してて、何言うてええか分からへん。ちょっと考えさせて」

さっき観た空間のインパクトが強すぎる。

「ごめん、今日はもう帰るわ。気持ちの整理がついたらこっちから連絡する。それと、後つけたりしてごめんな」

そうして歌穂が駅に向かって歩き出し、最後に後ろ髪を引かれて少し振り向くと、森下は捨てられた子犬のようにしょんぼりとその場に立ち尽くしていた。

＊

「……と、いうわけやってんけど」

相談した相手は、先に家に帰っていた弟だった。漫画やアニメが好きで昔からけっこう詳しい。

「重度のオタクて結局、何？」

「あー、それは姉ちゃんの人生に今まで最も関係のなかった人種や」

高校以降にょきにょき背が伸びて気持ち悪いほど歌穂の身長を追い抜いた弟はあっさりとそう説明した。

「週刊少年漫画雑誌四冊を毎週全制覇は当たり前、ちょいマニアな雑誌にも手ぇ出してて、深夜アニメと戦隊物やライダー物もチェックできる環境やったらチェックしてるやろなぁ。もちろんゲームも家庭向けから18禁エロゲーまで一通りこなしてて、っていう辺りが俺的に『けっこう重度』の感覚やな」

「あかん、想像が追いつかへん」

確かに森下の申告と一部被《かぶ》ってはいるのだが、具体的な想像がつかない。

「あのー、あれ？　テレビでやってるアキバ系とかああいう？」

「あれはまた面白おかしくキワモノ選んでさらしてるから基準値にはならへんねんけど」

確かに、今日の会場でもキワモノ系ばかりがいたわけではなかった。割合としてはやや多めの感じがしたが。

「あれやろ、前に明太子送ってきた例の自衛官やろ？　今まで会《お》うてて服装とか態度とかどないやってん、引くような感じか？」

「えー、そんなことなかったよ。フツーの男の子やで。別にテレビとかで見るアキバ系の人みたいにバンダナとか革手袋してへんし。今日もフツーっぽかったやろ」

「やったら世間を意識してる系のオタクやな。それならそんな痛いタイプちゃう思うで。自衛隊なら常識もそれなり矯正されとるやろうし、ちょいマニアックなとこが端々で出てくるやろけど、姉ちゃんがそれイヤじゃなかったら付き合えるんちゃう？」

「いやー、未知の領域やわ、あたし大丈夫やろか」

思わず腕を組んで考え込み、歌穂は顔を上げた。

「ぶっちゃけたとこ、どこまで許せたら大丈夫？」

と、弟はいきなりとんでもないことを尋ねた。

「姉ちゃん、男がエロ本読むの許せるタイプ？」

「いやっ、ちょっと何言うてんねんなこの子はっ！　セクハラやでセクハラ！」

「寝起きにぼりぼりケツ掻きながら出てくる姉に今更セクハラもクソもあるかいな。っていうか今の台詞《せりふ》のイントネーション完全におばさん化始まってんで、気ィつけや」

そんでどうやの、と訊かれて歌穂はうーんと唸《うな》った。

「風俗とか行かれるのはイヤやけど、本とかビデオは許せるかなぁ……男の人って彼女や奥さんとそういうのは別なんやろ？」

友達の中には「絶対許されへん」「持ってたら即別れる！」という子もいるが、歌穂はその辺はそこそこに寛容だった。

「なら姉ちゃんはあいつと付き合える可能性あるわ。エロ本やAVがアイドルや二次元に化けるだけの話やからな」

「ちょお待ちぃな、アイドルはともかくあたし二次元に負けるんかい！」

「漫画のエロ本かてあるやんか。エロ本は許せる言うたやろ」

言いつつ弟はマガジンラックの中から分厚い雑誌を取り出した。

「いや、何⁉　エロ本⁉」

「ちゃうがな。さっき言うたちょいマニアック系の雑誌」

その表紙には、あきらかに四大少年誌とは違うかわいらしげな、かといって少女漫画とも全く傾向の違う美少女が描かれている。言葉を選ばず平たく言えば、かなりロリっぽい。

「この絵に萌《も》える男を許せるかどうかやな」

歌穂はまじまじとその表紙のパンチラ美少女に見入った。

「……そうか、あたしはこれに負けるんか……」

弟がこのテを購読していたということよりも、そちらのほうが大問題である。

「あたしもパンツ見せるべき？」

「ちゃうって。生身の彼女が好きっていうのと、こういうのに萌えるっていうのは、また意味合いが全然ちゃうねん」

その意味合いの違いは「追究すると論文が書ける」と説明してもらえなかった。

「まあ、その辺は不可侵領域にしとけば滅多に衝突は起きひんし。姉ちゃんかてケツ掻きながら朝起きてくるとこ見られたないやろ」

「やかまし！　しつこいであんた！」

それに、と弟は付け加える。

「オタクの二次元ってけっこう即物的な欲求の捌け口じゃないところもあって、要するにオタクはいろいろ繊細やねんなー。うざいだけの奴もおるけど」

「あんた詳しいなぁ」

「身の回りに濃いのから薄いのから色々おるからなあ」

「あんたはそのどこら辺よ」

弟はその質問は笑ってはぐらかした。そして、

「まあそいつ、姉ちゃんと付き合いたくて、後でバレて嫌われたくないから自分の趣味を白状したんやろ？　やったら基本属性は三次元や。安心せえ」

弟との会談を終えた後、いろいろ想像してみた。

それはもういろいろと。

そして、

――よし。許せた。

たとえ、カウントダウンTVで観たことのある美少女の抱き枕を持っていたとしても、オッケーバッチこい！

最初のトキメキ思い出せ！

歌穂が『暇なときに電話をください』とメールを送ると、その日の晩に電話が掛かってきた。

「あのっ……」

せっつくように話そうとする森下を「待って」と制し、「会うて話したい」と言うと、まだ艦がドック入りの森下の今度の休みはウィークデイだった。

「残業にならへんように調整するから夜会おう。それから、」

一応外泊取ってきてな。そう言うと森下も何の気なしの様子で了承した。夜に会うときには門限の関係で外泊届けだけは出しておくのがお約束なので、特に意味は感じなかったらしい。

＊

歌穂が十五分ほど遅れたが、店の予約には間に合った。歌穂の会社の近くで、家庭的な洋風料理のコースで人気のある店である。

お互い口が重たいままコースは進み、最後のデザートになった。

「ねえ、初めて会うたとき、席譲ってくれたのは何で？」

好みのタイプだったから、とか、あわよくば、みたいな返事だったらやめようと思っていた。

森下は何の気なしの様子で答えた。

「桜木さん、あのときすごく顔色悪かったんです。新横浜ですでにすごい具合悪そうで、どこまで行くか知らないけどこのまま立たせてたら絶対倒れると思ったんです。僕は職業柄、体力だけは人よりあるし、どこかで空席できるまで立ってるくらいは平気だから」

歌穂は森下の笑顔から逃げるように俯《うつむ》いた。

「ちょっとカッコつけすぎやわ、自分」

誰も席を替わってくれなくてふて腐れ気味だった歌穂としては、ちょっと負けた気分だ。

するとと森下は慌てたように言い添えた。

「でも、やっぱり下心とかもありましたよ！　僕ら日頃は一般の女性とあんまり喋る機会ないし、ちょっと話せたらいいなぁとは思いましたし、あわよくば名刺を渡せないかなーとかも、これは僕が根性なしで渡せませんでしたけど！　――けど、」

森下の表情が真面目になった。

「僕らはそういう教育を受けてるんです。いざというとき自分の周りに自分より弱ってる人がいたらその人を助けろって教育を受けてるんです。そういう意識を各自が持ってないと隊活動が崩壊するから。だから頼《たよ》り甲斐《がい》があるとかそんなんじゃなくて、ちゃんとした自衛官なら誰でも普通にやることなんです。だから、あれに桜木さんが恩義を感じてこうやって会ってくれてるんなら、それは僕にはうれしいけどホントは必要ないんです。それもこんなオタク男に」

ごめんなさい、と内心で歌穂は白旗を揚げた。

笑顔のかわいい年下の男の子やと思ってたら、意外や意外かなりのオタクで、そうかと思えば普通にすごくかっこよかったです。

「……もし、イヤじゃなかったら、あたしのこと今度から歌穂って呼んで？」

森下はしばらく固まっていたが、やがて恐る恐る口を開いた。

「いいんですか。僕……」

「だから、そっちが引け目に思ってたことは、もうあたしは全部考えたから。そのうえでこっちから言ってるんやから、恥かかさんといて」

森下は急に手を伸ばして、テーブルの上に載せていた歌穂の手を強く握った。

「歌穂さん」

好きです、付き合ってください、という告白はそれから一拍遅れて、しかし力強くきた。

「さんは要らへん。あたしも光隆って呼ぶから」

そしてその日、初めて二人で泊まって帰った。

＊

光隆も航海などで所在不明なことが多かったが、歌穂も出張の多い仕事なのでサイクル的には合っていたと言える。歌穂がアクティブな性格でもあるので、「今、呉《くれ》に入港中」などと情報が入るとその週末にいきなり呉まで車を飛ばしたりするくらいは余裕だ。

そうして一年ほど付き合っているうちに——もし光隆と付き合っていなければまったく歌穂とは関わりのない、対岸の火事でしかなかったであろう世界情勢が迫ってきた。

中東を中心とした争乱――そして、それに絡む自衛隊の海外派遣の話である。

「行くの？」

派遣が決まったと報じられたその日の晩、恐る恐る電話を掛けた。派遣は陸・海が中心となるということはニュースでも言っていた。

「第一陣にはなれなかったけどね」

その返事で志願したのだと分かった。

「や、もぉ……」

声が震えた。

「危ないんやろぉ、何でそんなんわざわざ自分から希望すんのよぉ」

テレビの討論番組では危険だから行かせるべきではないと吠《ほ》えるコメンテイターも大勢いた。死者が出たときの責任まで論じ合い、見苦しいような泥仕合でいたたまれずテレビを消した。

泣き声になった歌穂に、光隆は困ったような声で答えた。

「こういうときを引き受けるのが僕らの仕事だから。だって僕らが危ないから嫌ですって言ったら、他の人たちが困るだろ？　他の人は誰もこんなときの訓練なんか受けてないんだから」

こらえきれずに泣き出してしまった歌穂に、光隆はずっと優しい声で、しかし行かないとは最後まで言わなかった。


泣き寝入ってから起きると、携帯に何通にも分けた長い長いメールが入っていた。

きっと消灯してから寝床の中でこっそり打っていたのだろう。

『歌穂へ
心配してくれてありがとう。歌穂の気持ちはすごくよく分かりました。

でも、僕は歌穂が泣いてくれてもやっぱり志願を取り消すつもりはありません。僕は第二陣で行くことが決まっていますし、まだまだ駆け出しですが下士官なので、少数ながら部下もいます。上官が「危ないから行きたくない」なんて言ったら、僕よりも経験の浅い部下達がもっと動揺してしまいます。

もしかすると、内心では行きたくないと思っている隊員もいるかもしれません。家族を持っている隊員もいるし、心の残る事情を抱えている隊員もたくさんいます。

でも、それを口に出す隊員は一人もいません。

僕たちは外部の人が思っているよりもずっと強く覚悟をしているのです。

もしかしたら、死者が出るかもしれない。でも、ここで僕たちが全員「だから行きたくない」とボイコットしたり隊を辞めたりしたら一体どうなるでしょうか。

歌穂、心配してくれて本当にありがとう。一年前は家族以外のこんなに素敵な女性が僕の派遣を心配して泣いてくれるなんて思ってもみませんでした。

でも、どうせなら「行かないで」と泣いてくれるより、「頑張ってね」と笑ってくれるほうが僕は勇気づけられます。

歌穂を危険なところへ行かせないために僕らが行くのだと考えてくれないでしょうか。

もし僕とずっと付き合ってくれるなら、僕が自衛官であるということも理解したうえで付き合ってくれると嬉しいです。義務を果たすべきときに果たすための組織に属し、訓練していることは、僕にとってはささやかな誇りなのです。

それが辛《つら》いというなら、歌穂には別れる権利があります。僕の派遣まではしばらくあるので、ゆっくり考えてください。

光隆』

童顔のくせに――チビのくせに――オタクのくせに、かっこよすぎなんやわ、あんた!
考えてみると、歌穂に「行かないで」と泣かれて「それなら」と自衛隊を辞めてしまうような男だったら最初から好きになっていない。

歌穂は携帯でがむしゃらに返事を打った。

『頑張ってね、頑張ってね、頑張ってね！　でも、無事に帰って来《け》ぇへんかったら絶対に許さへん！』

そんなふうに盛り上がっておいて、光隆の派遣は半年以上先だったので後で冷静になると少し間抜けだったねと二人で笑った。

＊

いよいよ光隆の派遣が近づき、たまに会っているときも光隆が深刻な顔をしていることが多くなった。気を遣って声をかけても「いや、大したことないから」とかわされるが、何か悩んでいるのは明白だった。

「ねえ、もうちょっとで長いこと会われへんなるんやで。お願いやから、あたしにだけは隠し事せんといて！」

折に触れそうやって揺すぶると、光隆はようやく口を割った。

「歌穂にもらってほしいものがあって」

どきんと胸が跳ねた。

それってもしかして、――プロポーズのリングとか？　タイミング的には正に今ここ、という感じがしないでもない。

今までイベント時のプレゼントは、光隆が何を選んだらいいのか分からないというのでリクエスト制にしていた。そうなると指環《ゆびわ》が欲しいなんて何だか年上女が縛っている感じだし重たいかな、と余計な計算が働いてともかく指環は避けがちになっていた。

だって光隆まだ若いし、あたしかてまだ焦るほどの年ちゃうし。

と、光隆は深刻な表情で言葉を重ねた。

「歌穂って家電得意な人？」

「……は？」

重ねられた言葉の意味は、最後の最後まで本気で分からなかった。

歌穂の部屋に弟の爆笑が響いたのはそれから数日後である。

大手家電量販店から歌穂宛に、液晶テレビとＨＤＤプレイヤーが届いたのだ。送り主はもちろん光隆で、セッティングサービスまで付いていた。

「すっげえやん姉ちゃん、チョー高級プレゼントやん！」

「やかましいわっ！」

「でも、HDDプレイヤーほしい言うてたやん。テレビまでセットでさぁ。気前ええ彼氏やんか。これセットで二十万はすんで。姉ちゃんにくれたんやろ、やったら――」

ククク と弟が笑みを飲み込む。

「週に一回、戦隊物と仮面ライダー録るくらいはしたらんと！」

「うるさい出ていけぇ！」

投げつけた枕は弟を捕捉《ほそく》しきれず、向こうから閉められたドアにぶつかってずり落ちた。


おねがいっ！

光隆は歌穂を拝んだ。

他に頼める人いなくって。機材はプレゼントするから歌穂録っといて！

変な期待をした分だけ光隆もだが自分が一番忌々しく、会っていたその土地の大手家電量販店にヤケクソで足を踏み入れた。

予算の上限を訊き、扱いきれるスペックの機材を積極的に選ぶ歌穂にむしろびくついていたのは光隆である。

「お、怒ってない？」

「ないよ、全然？　週に一回レンジャーとかライダー録るだけで、テレビとHDD買《こ》うてもらえるならお安いご用やわ。あたしのビデオ壊れかけやったたし」

そうや、もともと重度のオタクやて白状してたやん、光隆。弟かてマニアックなとこが端々で出てくる言うてたやん、それが今やっただけや。

よりにもよって今やっただけや。

「歌穂〜〜〜〜……」

機嫌を気にして袖《そで》を引いてくる光隆に、歌穂は「派遣の間の観たいんやろ」と訊いた。

光隆は恐る恐る頷く。

「あたしかて野球の延長で好きなドラマの最終回録り逃したら友達中に誰か取ってへんか電話掛けるもん。あんたもそれとおんなじやろ。あたしの連ドラもあんたの仮面ライダーも一緒や」

でも何かごめん、としおたれる光隆の前に歌穂は仁王立ちした。

「こう見えてもあたしはな、あんたにオタクやて打ち明けられたとき、あんたがアニメの抱き枕持っててもあんたと付き合うって決意した女やで。舐《な》めんな！」

はい、すみません！　と光隆から敬礼が出たのは多分、歌穂の迫力勝ちだろう。

「深夜のアニメとかはええのん？」

「あ、うんそれは欲しいのＤＶＤで買うから別に」

「雑誌とか置いといてほしいのは？　週刊雑誌はさすがに無理やけど月イチのマニアック系のやつなら半年分くらいは置いといたげるで。うちの弟の買ってるのんもあると思うし。

うちの弟も結構オタクやねん、多分会《お》うたら話合うと思うわ」

「あ、でもそっちは俺コミックス派だから帰ってきたらまとめて読むよ」

それから、と光隆がちょっと不本意そうに唇を尖《とが》らせた。

「抱き枕とか、俺持ってないからね。そういうバーチャルは俺の守備範囲外だから」

俺は歌穂がいい。

膨れたような言い方がまたかわいかった。

＊

派遣第二陣の出航は平日だったが、歌穂は仕事の段取りを調整しながら有休を使って、光隆の乗る艦が出航する埠頭《ふとう》まで見送りに行った。

いよいよとなるとこれという言葉が出てこない。

気をつけてね。早く帰ってきてね。待ってる。

そんな誰でも言えそうな無難な言葉しか。

と、突然光隆が歌穂を抱きしめ、――そのまま口づけた。

照れ屋な光隆には到底信じられないような、いっそ暴挙と呼んでも過言ではない大胆さである。

からかうような口笛がいくつか鳴ったが、無視して歌穂も応《こた》えた。これから何ヶ月か、半年か、一年か、情勢によってどれくらいキスもできないような期間が続くか分からないのだ。

長い口づけが終わって（しかし周囲でもけっこう似たような情景は繰り広げられていたらしい）「あ、もしかして家族の人に見られたりとかしてたら」と歌穂が慌てると、バツが悪そうに光隆は目を逸《そ》らした。

「挨拶、家に帰って済ませてあったんだ。今日は来てない」

最後に歌穂とこうしたかったから、とまた何でこの瀬戸際でかわいいことを！

出航のセレモニーが始まって、光隆も同僚たちから小突かれながら整列しに行った。後できっと盛大にからかわれるのだろう。

いつもならたるいと聞き流しそうな祝辞に歌穂もきちんと耳を傾けた。ちゃんとこの人たちを――光隆を激励して送り出してくれている言葉かどうか。

式典が終わって、敬礼をしながら自衛官たちは退場を始めた。光隆はこの大勢の見送りの中であたしに気づいてくれるだろうか。

そんな心配はまったく必要なかった。光隆は規律正しく行進しながら、はっきりと歌穂と目を合わせて強く会釈した。

歌穂も何度も頷き、ちぎれるほど手を振って、――そして、その後はもうお互いを確認できるタイミングはなかった。
見送りの客が徐々に引けていく埠頭を歩きながら泣いたのは、光隆には内緒である。

＊

そして日曜朝に番組を録《と》り溜《だ》める生活はそろそろ半年近くになる。
新聞やテレビのニュースをこまめにチェックはしていたが、さすがに情報は本人からのほうが早かった。

『歌穂へ
第三陣との交替です。二陣はもう引き揚げの準備にかかっています。
来月中には日本に戻れると思う。早く歌穂と会いたいです！
光隆』
その短い文面で逆に舞い上がりきっていることが分かるメールだったが、歌穂はそれと同じテンションでは舞い上がらなかった。
パソコンの前でぽろぽろぽろぽろ涙がこぼれた。嗚咽《おえつ》も漏れて止まらなくなる。

「……どないしてん、姉ちゃん」

廊下を通りがかったらしい弟に声をかけられ、振り向けずにやっと答える。

「光隆、帰ってくるって。来月」

すんなり言えたわけではない。間に嗚咽を挟みながら。

弟はしばらくその場に立っている気配だったが、やがてこう言った。

「けっこうええ男ちゃうん」

「え？」

「姉ちゃん、今までそんなふうに泣いたことなかったやん。レンジャーとライダー録らなあかん、まったくあのオタク彼氏はってギャーギャー騒いで済んでたやん。メールもあれやん、漫画の打ち切りがどうとかアホな話題ばっかりやってんやろ？　姉ちゃんやっぱりギャーギャー怒って済んでたやん。普通やったらもっと心配の種あったと思うで。彼氏が行ってたとこ、治安が安定してる言うてもそれなりに緊張する情勢もあったはずやし」

俺の義兄《あに》になるならけっこう大した男やなぁ、と弟は独りごちて立ち去った。

メールは三日と空けずに届いていた。いつも笑える話や呆《あき》れる話ばかりだった。

童顔なので現地でホモに口説かれてキスされそうになったとか、みんなで街へ出たときに挑戦した現地料理が中《あた》って三日間下痢が止まらなかったとか。

日本のニュースで緊張した情勢を報じていてもピンと来ないくらい、バカな連絡ばかり交わしていたような気がする。

ライダーちゃんと録ってくれてる？　今回けっこう燃える展開だったらしいんだけど。

一回も録り損なってないから真面目に勤務しとき！

真面目に勤務しているのは大前提で、歌穂を心配させないための余技だったのだと思うと更に涙が湧いてきて止まらなくなった。

＊

第二陣の引き揚げは思いも寄らぬ障害に見舞われた。

南シナ海で足の遅い台風の後ろに船団が追い着いてしまったので、この台風をじりじり追いかける形になったのである。

七月上旬と言われていた帰国は一週、二週とずれ込んで、結局超大型で勢力の強い台風の日本上陸と帰国が重なった。

しかもそれが関西を直撃。

いかな行動派の歌穂とはいえ、第二陣の帰国式典に駆けつけることはできず、佐世保で行われた式典をテレビの前で臍《ほぞ》を噛んで見守る羽目になった。

「ごめんな、お迎え行かれへんと」

直《じか》に会って謝れたのは台風一過の翌週末だった。それまでに電話では喋り倒しているが。何でも派遣団の家族サービスとして派遣艦の特製カレーを食べさせてくれるイベントがあるという話で、友達や恋人でも大丈夫だから歌穂もおいでよということになったのだ。

さすがに送り出すときのあの張り詰めたテンションはないので、会うなり抱き合ったりということはなかった。

「タイミング悪かったし、仕方ないよ。それよりあの――……」

そわそわしている光隆に、

「ああ、頼まれた番組は全部録れてるから大丈夫やで。今日は重たいから持ってきてないけどな」

わざとはぐらかしてやると、「いいよもう」と拗《す》ねたのでご機嫌取りに軽く腕を組む。

「博多で泊まって帰る。外泊、取ってくれてるやろ？」

そう囁《ささや》くと光隆は真っ赤になって俯いた。わー、こんなカワイイとこ見るの久しぶり。

光隆が帰ってきたという実感が今さらのように湧いてきて、照れるのを構わずもっと腕を組んだ。

メインのカレーをご馳走《ちそう》になって、艦の中をいろいろ見せてもらう。

「ね、光隆の部屋とか見せてもらわれへんの？」

「えー、別に面白くないよ」

そのはぐらかし方にむしろ面白そうな気配を感じ、バッグの中から最終兵器を出す。

「見せてくれないとこれはあげませーん」

「ああっ！」

と説明なしで分かったところがさすがにオタクである。

「『パトリオット！』の打ち切り号⁉」

「これだけは持ってきてあげてん、何とかバッグに入ったから」

「ああぁ～～～～っ！　ずるいよそれぇ～！」

光隆は葛藤《かっとう》のあまりか頭を抱えたが、落ちることは目に見えていた。


ホントに面白くないよ、狭いし臭いよ、とギリギリまでごねていたが、結局ジャンプに釣られて光隆は居住区に歌穂を案内した。

素人にはほとんど垂直に感じられるラッタルをいくつか上ったり降りたり、スカートの歌穂を気遣って光隆は手すりも持たずにラッタルを駆け上がり、上から手を貸した。背丈はほとんど変わらないのに、手を預けると危なげなく引っ張り上げてくれる。

そうしてたどり着いたのは、三段ベッドが何列か詰め込まれた部屋だった。住人は全員出払っているらしい。

「わー、ホント狭いんやねえ」

「これでも潜水艦よりはマシなんだけどね、通路広いから」

「皆さんキレイにしてはるねんね、通路とかもピカピカ」

ベッドとロッカーだけが個人スペースだと聞いていたが、どのベッドもきれいにベッドメイクしてある。

「ちゃんとしとかないと台風が来るからね」

「台風？」

何かの迷信かと首を傾げた歌穂に光隆は答えを明かした。

「上官に部屋の中ぐっちゃぐちゃにされるの」

いかにも男所帯の風習に思わず笑ってしまう。食らうほうは笑いごとではないだろうが。

「ベッドメイクも新隊員の頃にプロ並みに仕込まれるし。俺も上手《うま》いよ」

「で、光隆のベッドってどれ？」

「そこの端っこの一番下」

「わー、一番下ってことさら狭そう！　ねえねえ、寝てみてもええ？」

持ってきたジャンプと荷物を預けながら尋ねると、ジャンプに気を取られたのか光隆は何気なく頷いてから、はっと気づいたように声を上げた。

「ダメっ！」

その声の必死さに何かあると直感した。光隆のベッドに潜り込もうとしつつふとよそのベッドを見上げると、天井にグラビアアイドルのポスターや何かが貼ってある。

ちょいマニアックなとこが端々で出てくるやろけど、姉ちゃんがそれイヤじゃなかったら付き合えるんちゃう？


弟のアドバイスが蘇《よみがえ》った。

「だーいじょうぶやって！　あたし弟もけっこうオタクやしマニアックの端っこ出てきたくらいじゃ慄《おのの》かへんて今さら！」

何しろ、半年もの間レンジャーだのライダーだのに付き合ったのだ。二次元ロリっ娘の三つ折りポスターくらいでは動じない自信がある。それを誇示もしたかった。

「ダメだって！」

歌穂にしぶとく追いすがった光隆が、ほとんど歌穂に抱きつくような態《てい》になる。

「ちょっと、人おらへんからってこれはまずいんちゃうん？」

牽制《けんせい》しようとちょっと色っぽい声を出してみるが、光隆はそれどころではない様子だ。

そして口を滑らせた。

「いいから天井見ないで！」

その声の真剣さが却《かえ》って煽る、何かよっぽど面白いものがあるに違いない！
上からのしかかられた状態でムリヤリ体を捻《ひね》って上を向くと、
自分の笑顔と向き合った。

あー、と光隆が歌穂を押さえつけるのを諦めた。

それをいいことにいそいそベッドに潜り込んで仰向《あおむ》けに寝る。

「……あたし？」

枕の真上の天井が、一面アルバムになっていた。

今まで旅行やデートで撮った写真がきれいに揃えて貼ってある。

「帰ってくるまでずーっと？」

「最初の写真からずっとだよ」

ふて腐れたように光隆が呟いた。

「そこ、いろんな意味で特別の場所だから。家族とか彼女とか趣味のものとか」

そこに趣味の物はひとつもなくて、歌穂と——一枚だけ違うのは家族の写真だろう。

「……あのなぁ」

涙が溢《あふ》れてきたので目の上で腕を組み、

「光隆引くかもしれへんけど、うちの弟が言っててん。俺の義兄《あに》になるとしたらけっこう大した男やなぁって」

えっと光隆は声をあげ、それから顔を真っ赤にして「光栄ですって言っていいのかな」と戸惑い気味に呟いた。

そして光隆はベッドに腰を下ろし、歌穂の左手を取った。そして丁寧に薬指を分ける。

「歌穂が欲しいって言わないから言い出せなかったんだけど……今度この指に指環贈っていい？　ちゃんと意味のあるやつ」

「物はあたしが選ぶで」

主張してから歌穂は天井の自分の写真を何枚か指さした。

「それからこの写真剝《は》がして。かわいく写ってるのだけしか貼ったらあかん」

「全部かわいく撮れてるよ」

「あかん！　あたし的にこれとこれとこれは許されへん！　今度写りのええのん送るから貼り替えといて！」

それが照れ隠しであることは察しているのか、光隆は左手を繋いだままで頷いてくれていた。

Fin.

広報官、走る！

A Spokesman Runs!

＊

防衛省海上幕僚監部監理部広報室。

それが政屋《まさや》征夫《いくお》一等海尉の名刺に刷られている所属部署である。

一年前までは那覇の第五航空群に所属し、P―3C乗員として警戒監視活動に従事していたが、突然広報室に引っこ抜かれた。

引っこ抜いたのは政屋が新人の頃に上官だった稲崎《いなざき》一佐だ。

「広報に必要な適性は女ったらしであることだ！」

というのが稲崎の持論だが、この持論に基づいて幕僚監部に引っこ抜かれた身としては人聞き悪いことこのうえない。

確かに女性と話すことにあまり抵抗を感じないタイプであることは認めるが（自衛官の中にはお見合いをセッティングされてすら緊張のあまりろくに喋《しゃべ》れない男も多い）、それを女ったらしと決め打ちされるのは不本意なものがある。

「おい、たらし！」

などと呼ばれることは日常茶飯事、初めての来客にも「こちらが我が幕僚監部きっての色事師、政屋一尉です」と紹介されて一笑い取られたりする。

「勘弁してくださいよ、稲崎一佐！　真面目に勤務してる部下にあの紹介はあんまりです、自分は女性には誠実なつもりですよ！」

抗議しても稲崎は意にも介さない。

「だったらその携帯の中身は何とする」

「うっ」

そこを衝《つ》かれると痛いところだ。女性と気軽に喋れるとなると合コンのセッティング役なども必然的に多くこなすということになり、合コンを重ねる度に何故か政屋の携帯には女性の携帯番号や携帯アドレスが増えていくのである。

「じ……自分から教えてくれと頼んだことはありません！」

大抵は話が盛り上がって女の子のほうから「ねえねえアドレス交換しようよー」ということになり、政屋もその場のノリで交換してしまうのである。

「本物のたらしってェのは、自分から食い下がったりしないんだ。相手が勝手に連絡先を差し出してくる。話術でノリを操作してそう仕向ける。そうであってこそ本物だ」

「仕向けるなんて人聞きの悪い……そんなことしてませんよ」

「だとすれば天然だな、最強だ」

そういう稲崎も未《いま》だにパーティーなどでは幹部夫人などに囲まれて堂々たるモテっぷりを発揮している。わざわざ稲崎を探して挨拶《あいさつ》に来る夫人もいるくらいだ。

それで綺麗《きれい》な奥さんもいるんだから不公平だよな、などと思いつつ、抗議を諦《あきら》めて政屋は自分の席に戻った。

政屋は女友達が増えるばかりで、ここ数年は彼女と呼べる存在からはとんと遠ざかっている。

防衛省には陸・海・空それぞれの幕僚監部広報室があるが、その性格はそのときどきによって違う。

大きくはそのときの広報室長の性格だ。機密漏れを懸念して、民間への情報提供や各種協力に消極的な室長もいれば、自衛隊を理解してもらう機会と捉《とら》えて、何事にも積極的に協力しようとする室長もいる。

稲崎は典型的な後者のタイプで、特に各種の娯楽作品への協力には大小問わず好意的だ。小説や漫画の取材も気軽に受けるし（気軽に受けてからのスケジュール調整は部下たちの仕事だが）、いわゆるアキバ系をターゲットにした『萌《も》え』モノ企画でも物怖《ものお》じしない。むしろ来客に「うちはこういうものにも協力してます」と披露して『開かれた自衛隊』をアピールする貪欲《どんよく》さだ。

現在もある出版社の記念事業であるドラマ撮影を二本立てで引き受けている。二本とも自衛隊が協力しないと撮影できないＳＦ物だ。一本は名作のリメイクなので注目度が高いし、もう一本はこのドラマのために軍事作家の大家が新作を書き下ろしたということで、やはり注目されている。

　稲崎が大喜びで引き受けるわけである。防衛大臣が自衛隊のアピールに積極的なタイプだったことも功を奏した。最新鋭のイージス艦に加え、おやしお級潜水艦まで運用するというのだから大盤振舞だ。

　不安があるとすれば、時間厳守が信条の自衛隊とルーズなことが経験則で分かっているテレビ局がどこまで折り合えるかということである。しかも二本同時制作だ。

「映画のほうが時間に関しちゃまだマシだからなぁ」

　と話が決まってから稲崎がぼやく。

　映画の協力（近年では大ヒットを飛ばした某カメがモデルの怪獣映画など）も多く経験しているが、映画制作は少なくとも予定の開始時間は守られることが多かった。その後、思うような画《え》が撮れなかった、天候が変わった、その場面について関係者同士で意見割れが生じた、などで時間が引き延ばされることは多々あったが。

　テレビはまた業界の性質が違うためだろうが、ちょっとした取材でも小さな遅刻が多い。十分二十分は遅刻に数えないかのような体質は、五分前行動を宿命的に体に叩《たた》き込まれている自衛官とは決定的に相容《あいい》れない。

　また、予定になかったことを後日にねじ込んでくることも度々だ。

対応はできる限り柔軟に。稲崎から直々に海自広報官に出された「お触れ」だが、陸自、空自の状況も似たり寄ったりであるらしい。こうなるとどこが一番我慢強いか三隊で勝負だ。

そして海幕広報室のスタッフとドラマスタッフの初顔合わせは、海幕広報室で行われた。

＊

応接テーブルを挟んで黒一色の制服の一列が海自スタッフ、対していかにもテレビマンらしいカジュアルな服装の一列はドラマスタッフである。

そして政屋は一番のぺーぺーとして、海自側の末席にパイプ椅子を持ち出してちょこんと座っていた。

応接のソファが足りないので、双方にパイプ椅子はいくつか出ている。パイプ椅子組が自分たちと同じ雑用組なんだろうな、と妙な親しみを感じて相手側のパイプ椅子を窺《うかが》うと、政屋の正面には長い髪を後ろでくるんとまとめたパンツルックの女性が座っていた。丁度政屋と同年代くらいである。そしてここが最も重要だが——マスコミ関係者としてはやや地味な美人度が政屋的にはジャストタイプだった。

上座のほうでは稲崎とプロデューサーやディレクターが話をしている。最初の名刺交換大会によると、プロデューサーは宮本《みやもと》、ディレクターは安藤《あんどう》。双方合わせて十五、六名も入り乱れた名刺交換では名字を把握するのが精一杯だ。

それにしても、テレビマンを二人も相手にして一歩も引けを取らずに盛り上がっている稲崎はやはりただ者ではない。

「それではそろそろスタッフの紹介に入りましょうか」

稲崎の仕切りに政屋はぎくりと首をすくめた。いつもなら政屋はオチのポジションだ。あー、今日だけは勘弁してくんねえかなぁ。

そんな祈りもむなしく、やはり稲崎は政屋の番になると「海幕最強の色事師、政屋征夫一尉です」とやらかし、政屋はがっくり首を落とした。

向かいのやや地味美人、鹿野《かの》汐里《しおり》ＡＤもくすくす笑っている（何だかんだと言いつつ、政屋も上司の雑談の合間にこっそり名刺を確認して、彼女の名前と役職を確認しているのだが）。

ドラマスタッフ側も紹介が始まり、政屋注目の鹿野汐里嬢は自衛隊とのスケジュールの調整・連絡役を担当するということだった。

だとすれば海幕での接触は政屋が一番多いということだ。たまにはこんな役得がないとなぁ、と端っこの席でやに下がる。

最後に撮影のスケジュール表が配られたが、――これが隊を苦しめる地獄の用紙になるなどとはこの時点では政屋が気づくよしもなかった。

＊

横須賀《よこすか》基地に係留中の護衛艦で隊員を一小隊エキストラに使い、ワンカットを十時から二時間という撮影予定だった。

「どうなってんですか、政屋一尉！」

小隊長である若い二尉に詰め寄られ、政屋はすまんと両手で拝んだ。

すみません、前の撮影が押しちゃって！

携帯の向こうでぺこぺこ頭を下げている姿が想像できるような声だった。もちろん鹿野汐里ADの声である。

今からすぐに向かいますから！

と言われたときに告げられた場所は、どう急いでも現着まで小一時間はかかり、しかも遅れる連絡が入ったのは九時四十五分。

そして現在、時計の示す時刻は十一時を過ぎようとしている。中途半端な時間は訓練に振り替えることもできず、隊員たちは各自で細かい雑用を見つけて動いている。

「十二時までという話だったから午後からは通常業務を組んであるんですよ！　テレビっていうのはどれだけいい加減なんですか！」

いっそ待ち時間を十二時まで、などと思い切ってくれたら何か業務を入れられたのだが、到着したらすぐに撮影に入りたいというテレビ局側の意向で待ち時間はもうちょっともうちょっとと引き延ばされ、その度に汐里の声も携帯の向こう側でしおれていくようだった。

「大体、遅れる連絡が入るのが遅すぎるんじゃないですか!?　こんな時間になっても到着しないいんならもっと早い連絡があって然《しか》るべきでしょう！」

二尉の言い分はもっともだ、しかしその時間が過ぎるごとしおれていく汐里の声を直接聞いている政屋としては宥《なだ》めるしかない。

「すまん、本っ当に申し訳ない」

そこへまあまあと割って入ってきたのは、先任海曹である。階級こそ政屋に詰め寄っている二尉より低いが、艦を知り尽くし隊員を掌握していることに関しては、防大出の新米幹部など足元にも及ばない。

「マスコミが時間にルーズなのは、今に始まったこっちゃありません。政屋一尉を責めたところでどうにもならんことです」

先任海曹は二尉の背中を軽く叩いた。

「稲崎一佐直々に撮影協力への理解を求める訓辞も出ていることですし」

政屋は思わず先任海曹を目で拝んだ。そして二尉の溜飲《りゅういん》を下げにかかる。

「今回のドラマは自衛隊に好意的な内容だし、こういうものに協力すると自衛隊への理解を得られやすいのは分かるだろ？　クレジットでも防衛省協力って出るしさ」

何しろ分かりやすいですからね、と二尉の口調はまだまだ不機嫌だ。生真面目さが良くも悪くも前へ出る性格らしい。

「自衛隊に親しみを持ってもらうことが国民の理解を得る一番の早道だからな」

「こういう形での露出は滅多にないチャンスですからな」

先任海曹と二人がかりでなだめてようやくその場は納めたものの、ドラマ撮影班が到着したのは十一時半を過ぎていた。

汐里ADが低いヒールをカンカン言わせながら、集合場所だった甲板へ駆け上ってきた。胸の上で基地の見学許可証が激しく踊っている。

「遅くなってすみませんでしたっ！」

汐里は重ねた手の先が床に着くのではないかというほど深く頭を下げた。

待ち疲れて雰囲気が悪くなっていた中を、何か一言言わないと気が済まないとばかりにさっきの二尉が進み出る。

政屋は反射で割って入り、肩胛骨《けんこうこつ》で二尉を抑えた。

何で止めるんですか、と不本意そうな二尉を「いいから」の一言で黙らせる。一体何が「いいから」なのかは自分でも分かってなどいない。

とにかく悶着《もんちゃく》を起こさないということだけしか。

「予定表では開始は十時でしたよね」

できるだけ汐里を責める態《てい》にならないように穏やかに訊《き》く。

「もう少し早めに遅れる連絡を頂けていたら、こちらも合間に業務を入れて無駄な時間を出さずに済んだんですが」

「すみません」

汐里がまた頭を下げる。

「前の現場で役者さんの到着にトラブルがあってそちらに必死になってしまって……」

汐里の役割は自衛隊とのスケジュール調整・連絡役だが、現場がトラブってしまってはテレビ局の人間としてそちらに巻き込まれてしまうのも仕方がない。無償エキストラ扱い、しかも待機済みの自衛隊のことなど頭から吹っ飛んでしまうだろう。

「できれば今後は遅れる連絡は早めにお願いします。こちらもこれだけの艦の業務を一部止めてご協力差し上げてますので」

敢《あ》えて艦の大きさを強調した政屋の申し入れに、汐里はますます申し訳なさそうに肩を縮めた。気の毒だが、ここは局の人間に生け贄《いにえ》になってもらうしかない。

と、そこへ——

「きゃ————っ、すごーい！　大きーい！」

いかにもな女のコ声が甲板に響き渡った。テレビで見るよりもはるかに小顔ではるかにカワイイ、若い男性に人気の高いアイドルだ。芸名はナナミとかいったか。

どよっと隊員側がどよめいたのは、隊員の中にもファンが多かったらしい。肩で抑えていないと汐里に食ってかかりそうだった二尉もこのサプライズには力が抜けている。彼もファンらしい。

その隙に政屋は汐里に小声で問いかけた。

「あのー、彼女はキャストに入ってましたか」

「あの、直前になってダブルヒロインということに……それで、元のヒロイン役が機嫌を損ねて」

なるほど、ここへ到着するまでに色々あったらしい。しかし今はそのトラブルに感謝だ。

「それで、あの……」

汐里がなお言いにくそうに口籠《くちご》もったとき、予定を二時間近く遅らせて一向頓着《とんちゃく》しない図太い声が上がってきた。

「いやぁ、立派なもんですな、こうして上がってみると」

相変わらずラフな格好の安藤ディレクターである。プロデューサーのほうは現場までは足を運ばないようだ。

「じゃ、さっそく機材のセッティングから始めましょうか」

せっかくのサプライズで雰囲気が持ち直しそうになっていたのが、また険悪になった。十二時の食事時間までもう十分と残っていない。

「いや、ちょっと待ってください」

さすがに政屋は異議を唱えた。

「確か、最短でも二時間の予定でしたよね？　隊員たちに食事を摂《と》らせず撮影というのはさすがに……午前中のように予定が延びる可能性もあるでしょうし」

相手の大幅な遅刻をさり気なく指摘する。うっかりすると隊員に昼食抜きを強いる羽目になるかもしれない。

と、ディレクターは「おいおい」と政屋ではなく汐里にうんざりした顔を向けた。

「入ったらすぐ撮影に入るようお願いしとけって言っただろうが、伝言もできないのか、お前は」

汐里に泥を被《かぶ》らせて横紙を破るのは予定のうちだったらしい。そのやり口に腹が煮えた。

汐里がすみませんと謝る前に政屋は口を開いた。

「いや、伺って今ちょっと相談していたところです」

隊員から不満が出る、とは言えない。隊員を盾にして隊の印象を下げるようなことは。

撮影班を迎えて撮影に付き添い、終わったら見送るだけのはずだったのが、何故こんなことに。誰か上官に出てもらうか。稲崎か、あるいは副室長であり尉官たちの直属の上官である弓田《ゆみた》三佐の顔も浮かぶ。だが、

――こんなことも一人で捌《さば》けなくてどうする、俺！

稲崎なら、あるいは弓田ならどうする。

「三十分、隊員たちに食事時間をください。その間に撮影のセッティングをして頂いたり、役者の皆さんに艦内の注意事項をご説明したいと思います。何しろ艦内は部外者の方には複雑かつ危険な箇所もありますので、万が一にも大切な役者さん方にお怪我をさせるようなことがあってはいけませんから」

キャストが豪華なことは事前に知らされている。役者の安全を確保するための説明時間という建前ならディレクターも却下はできまい。

しかし自分の予定が通らなかったディレクターは、了承しながらもブツブツ文句を言うことは忘れなかった。

「こっちは渋滞の車内でロケ弁で昼も済ましてきたのに、そちらは機転が利きませんなぁ。それに撮影機材のセッティングには隊員さんのご協力を頂けるという話だったでしょう」

血気盛んな二尉がまたディレクターに食ってかかろうとする。今度は先任海曹が抑えた。

「機材のセッティングには手の空いている隊を回しましょう」

言いつつ二尉も何気なく引っ張って艦内へ向かう。恐らく手の空いている隊と調整をし、食事もエキストラ役の隊を優先で摂らせるように手配してくれるはずだ。そのがっちりとした背中に感謝の念を送る。撮影に協力する隊には必ず話の分かる先任海曹を入れておけ、という弓田三佐のアドバイスが至言だった。

後のフォローは政屋の仕事だ。隊員たちが艦内に入るのを見送りながら、まだ仏頂面のディレクターに、政屋は頭を掻《か》きつつ笑った。

「すみません、ロケ弁なんて便利なものがあればいいんですが、自衛隊では食料班が作るので事前に指示しておかないと時間の融通が利かないんですよ。腹が減ってエキストラがNGを連発なんてことになったら申し訳ないですから」

戦闘糧食にしたところで四十人単位の小隊が食事を済ますにはやはり三十分程度の時間が必要だ。

やがて、待つほどもなく十名ほどの隊員が甲板に駆けてきた。

「撮影の準備をお手伝いするように命令されました！」

敬礼する隊員たちに政屋も敬礼を返し、ディレクターに向き直る。

「さて、何からお手伝い致しましょうか」

「では、役者さんの着替えの部屋の手配を」

何だよ、結局キャストの着替えもまだ済んでねぇんじゃねえかよ！　とココロの中では盛大に突っ込む。そういえば甲板に上がってきたアイドルは明らかに場面に合わない私服だった。

これで隊員にはメシを抜けなどという話になったら暴動が起こるところだ。

「それでは艦内より庁舎のほうがまだいいでしょうね。艦内には化粧直し用に男女二部屋ずつくらいご用意する感じでいかがですか？」

「じゃあそれで頼みましょうか」

ディレクターもやっと機嫌が直ってきたらしい。

「庁舎には何部屋ご用意致しましょうか？　ちなみに庁舎も艦も鏡はトイレくらいにしかありませんが」

「鏡はどうなってる、鹿野」

はいっと汐里が背筋を伸ばした。

「小道具さんが必要な分を持ち込んでくれているはずです！　お部屋は女性が個室二部屋に五、六名が着替えられる大部屋を一つ、男性が個室を三部屋に十人ほどが着替えられる大部屋を一つでお願いします！」

「はい了解、と……」

言いつつ「失礼」とその場を少し離れて携帯を出し、掛けた先は横須賀基地広報室だ。撮影班のオーダーを伝え、ついでにタオルやボックスティッシュなど役者の身支度に必要そうなものを各部屋に揃えておくように頼む。

「じゃあ、撮影班の方は隊員に随時ご指示を出してください。その間、役者さんには不肖ワタクシ政屋一尉が撮影区域のご案内を致します。素人さんには意味不明な段差や穴ぼこ、出っ張りなどが多うございますので、皆さん今のうちにきちんと覚えて危険回避に努めて頂きたく存じます」

おどけた政屋の声に、役者陣から明るい笑い声が上がった。

隊員たちが食事を終えるまでの三十分はこれらの時間を工夫するとあっという間だった。無償協力の隊員たちのためにたったこれだけを待ってやれないのか、とおそらく無意識のディレクターの傲慢《ごうまん》さに腹が立ったが、それを表情に出さないのが政屋の仕事だ。

撮影が始まってから、合間で汐里が政屋のところへ来た。

「あの、色々すみませんでした」

申し訳なさそうに項垂《うなだ》れる汐里に、初めて顔合わせをしたときの笑顔の名残は見えない。

あのディレクターの下じゃあ大変だろうな。自然と同情の気持ちが浮かんだ。

笑わそうとおどけた口調で言うと、汐里はやっと少し微笑んだ。

「ただの女好きじゃないことは認めて頂けたでしょうか？」

「私の連絡が悪かったからばたばたしたのに、全部捌いてもらって」

「いえいえ。こちらも仕事ですし」

＊

その後、テレビ局から渡されたスケジュール表は悪魔の予言書と成り下がった。

隊としてはスケジュール表を元にして協力を要請された部隊の予定を空け、局の来訪に備える。

だが、その予定がスケジュール表通りに実行されたことは一度もない。前日にいきなり中止連絡が来るかと思えば、それが翌朝さらに引っくり返されることさえある。

五分前行動など鼻で笑う状態だ。

隊内からは苦情の嵐で、もちろん予定がスムーズに運ばない局側からの不満も被さってくる。その間でお互い板挟みになっているのが政屋と汐里だ。

政屋はともかく階級があるので、隊内では各種の不満をもともと道化なキャラで納めてもらうことが可能だし、局側も版権を持っている出版社との関係や自衛隊が協力しないとそもそも制作が成り立たない現実が、あの傲慢なディレクターを政屋の前ではおとなしくさせているようだ。

だが、その分を遠慮なく当たられているのは汐里のようで、陰に陽にディレクターから難癖のような叱責《しっせき》を受けている姿をよく見かけた。

いつも腰を深く折って何度も頭を下げているのは、涙を他人に見られまいとしているかのようだった。

「いかがですか」

政屋が缶コーヒーを差し出したのは、その日の撮影が始まってからである。休憩時間は逆に役者やスタッフの用事を言いつけられて休む暇がないらしい。撮影が始まってうまく波に乗ると少しは落ち着く時間ができるようだ。

「どうもありがとうございます」

受け取った汐里が俯《うつむ》き加減になる前に、鼻が赤くなっているのが見えた。ディレクターにさっき散々厭味《いやみ》を言われていた後だ。

初めての顔合わせのときはラッキーと思った。ジャストタイプのやや地味美人、政屋とは一番接触の多い役割。だが、こうもいたたまれない姿を再々見せられることになると、単なるラッキーなどと思ってはいられない。

好みの女性が理不尽な理由で当たり散らされ、それを黙って見過ごさなくてはならないのは、お喋りなお調子者である政屋にはなかなか辛《つら》いものがある。外野から見て明らかに不当だと分かる理由で彼女が叱責を受けていても、職分が違うので口出しはできない。

「すみません、こっちも大所帯なものでなかなか小回りが利かなくて」

「いえ、そんな」

汐里が強く首を振った。

「当たり前です、こちらが無理ばかり申し上げて……心苦しいです」

パチンと軽い音を立てて、汐里が「いただきます」とプルタブを引き開けた。

「でも、辛いことばかりだったら志しませんよね。テレビ局の仕事で楽しいところとか、聞かせてもらえませんか？　僕も一応広報担当なんで参考になるし」

「え、でも私まだまだ新米なので、仕事らしい仕事も全然……いつもは雑用専門で、今回みたいに自衛隊専門とはいえ連絡役なんか任されるの初めてで。仕事で楽しいとか言えることなんて本当に少なくて。でも役者さんや取材先の方にちょっとしたことを誉められるとすごく嬉《うれ》しいです」

「ちょっとしたことって？」

「あ、たとえば女優の○○さんはチョコレートのCMをしてらっしゃいますけど、ニキビできやすくてホントはチョコや洋菓子はお好きじゃないんです。だから休憩時間のおやつは和菓子やお煎餅《せんべい》を用意しておいたり。糖尿を気にしてる役者さんのお弁当を低カロリーの特注物にしたり」

　ホントにちょっとしたことだなぁと思いつつも、へえーっと感心したように相槌《あいづち》を打つ。まだ自分の裁量ではそれくらいしかできない彼女が、今回自衛隊との調整役になったことは大抜擢《だいばってき》と言ってもいいだろう。

「ドラマは最初から志してらしたんですか？」

「ええと、あの、ホントはドキュメンタリーを……『ワイルド・キングダム』みたいなのをもう一度始められたらいいのにって」

　汐里が挙げたのは、政屋が中学生の頃に終了した野生動物のドキュメンタリー番組だ。野生動物の密着取材のみで勝負するという、民放にしてはハードかつストイックな作りの番組で、そういえばこのテレビ局がキー局だったなと政屋も思い出した。

　そうかぁ、と大きく頷《うなず》いた政屋に汐里が「何ですか？」と首を傾げる。

「鹿野さん、お若く見えましたが実は僕と同年代ですね。あの番組を覚えてる世代というと……ちなみに僕は今年で二十八なんですが」

「いやだ、そこは逆算しないでください！」

　初めて汐里から初日のような笑顔が出て、軽く肩を叩《たた》かれた。

　汐里の気持ちを底上げしてから、政屋は本題を切り出した。

「ところで、撮影のスケジュール表のことなんですが」

せっかく底上げして引っ張り出した笑顔が瞬時に失《う》せて、汐里はまた項垂れた。

「すみません、全然予定の通りになってないですよね」

「いえ、責めてるわけじゃないので前向きにいきましょう。ただ、あのスケジュール表が現在まったく役に立っていませんよね。もうまったく予定として機能していない。それがお互いの陣営のストレスにもなっている。だからこれは提案なんですが……」

顔を上げた汐里に政屋は真顔で言った。

「僕とあなたの間で、あのスケジュール表は破棄してしまいませんか」

汐里は言われたことを一瞬理解できなかったらしく、首を傾げながらまばたきした。

「要するに、僕は広報室であのスケジュール表をなかったものとします。これだけ進行が合わなくなっていたら充分破棄の理由になります。代わりに、あなたがそちらの進行状況を把握して僕に随時連絡してください。そうしたら、こちらは必ずその日は撮影隊の到着と同時にフレキシブルに動けるような段取りをしておきます。どうですか？」

政屋としても隊からの不満を鑑《かんが》みての案である。そして不満の噴出は自衛隊より忍耐に欠けるテレビ人のほうが多い。現場はもう毎回壊れる寸前だ。

少なくとも、機能しなくなったスケジュール表に従うよりもこちらのほうが巧《うま》くいく。上官とも相談した結果だ。

「もし予定の聞き出しでディレクター氏のコントロールが巧くいかなくなったら、こちらの上官から申し入れする用意もします。どうですか」

「でも、やり方を変えることをディレクターに報告しないのは……」

渋る汐里を政屋は忍耐強く押した。

「あの人、王様でしょう」

思わず頷いてしまった様子の汐里がびくっと肩を竦《すく》めたが、それには指でしーっと内緒の仕草をして黙らせる。

「正式にやり方を変えましょうとこちらから打診したら、王様は不機嫌になります。当然です。そうしたら、巧くいかなかったのは誰のせいだと王様は必ず言いはじめます」

そのとき俎上《そじょう》に載せられる汐里を政屋としては見ていられない——というのは個人的な同情と同じ苦労をした思い入れのためだ、ということにしておく。

「これは現場の人間が融通を利かせることで捌《さば》ける問題です」

頭の固い防大出の幹部とその下に就く下士官の間を、先任海曹が巧く取り持つように。

「逃げ切れるところまではそれで逃げ切りませんか。今となっては最初のスケジュール表より、あなたが実際に見て把握する予定のほうが信用できるはずです。役者さんを集める都合もおありでしょうし、ディレクター氏も全体に進行予定くらいは話すんでしょう？　自衛隊が協力する場面も予《あらかじ》め決まっているわけですし、多少の読みも立ちますよね」

「……夜中や明け方にお電話やメールをすることもあるかもしれないんですけど」

汐里が恐る恐る窺《うかが》ってきたのは、話に乗る気になったのだろう。

「かまいません」

そこまでは真面目な顔で言えるのに、その先がいけない。

「いやぁ、正直僕も隊内の突き上げがきつくて。そうしてもらえたほうが楽なんですよ」

笑いながら頭を掻《か》いてしまう。

「じゃあ、お話に乗らせていただきます」

汐里がやっと笑顔になった。

――あなたが理不尽に責められている姿を見るほうがいたたまれないんですよ。

この場面でそんなことを言えたら、少しは気になる女性とも進展するのだろうか――とちらりと思ったとき、

「……お気遣いいただいてすみません」

汐里が小さな声で呟《つぶや》いた。

毎回の汐里を見るに見かねての提案だ、ということは分かっているらしい。ささやかな厚意が届いているのだと思うと少し気持ちが弾んだ。

「……できればそこ、ありがとうで聞きたかったですね」

照れるとおどけた口調になってしまう政屋に、汐里も笑った。そして政屋の希望通り、

「ありがとうございます」

と言い換えた。

＊

やり方を変えてから撮影はスムーズに回るようになった。今までよりは、という意味であって、王様の満足するレベルには到底届くものではなかったが、少なくとも隊内の不満は減った。

隊に余裕が生まれると、空気の悪くなった現場にも淡々と付き合う余力ができ、それが撮影班や役者の気持ちをほぐす役にも立っているようだった。何しろ駆り出される下士官は上官の雷には慣れているし、それに比べれば王様の不機嫌や厭味《いやみ》など聞き流せるレベルだ（一応は王様も協力隊員に当たり散らさない程度の自制はあるらしい）。

さすがに上官たちは経験が違う、と政屋も策を授けてくれた稲崎や弓田に感謝である。たとえ真夜中や夜明けに寝間着のポケットに入れていた携帯のバイブで飛び起きることが多々あってもだ。

しかし、巧く回っているように見えた現場がまた大問題を引き起こしたのは、クランクアップも間近という時期だった。

最初に台本を渡されていた広報室の人間は、撮影中からずっと気づいていた。

大物作家が書き下ろしたほうの原作である。国籍不明の潜水艦を追尾するために、那覇基地からP―3C三機と護衛艦、おやしお型潜水艦を各一隻ずつ出動させるシーンだった。作家は近年の実際の事件から着想を得たという。

最高機密に近い潜水艦は、さすがに発令所の構造を公開させるわけにはいかないので、呉基地の潜水艦シミュレーターを元に重要部位を変更したり、ダミー計器を加えたセットをテレビ局の技術班が横須賀基地内に作っている。

しかし、護衛艦は横須賀から、P―3Cは厚木から本物を出すことになっていた。舞台は沖縄の海だが、そこはCGでごまかすらしい。

そのシーンの撮影は、まず撮り直しの利く潜水艦のセットから始まった。

カメラが回り、若い士官役が艦の制御コンソールで肩を震わせた。

「恐いよ俺……生きて帰って来られるのかな」

稲崎と弓田も居合わせた撮影現場で、上官二人と政屋は思わず三人で顔を見合わせた。

稲崎と弓田が目で合図を交わし、稲崎が王様に声をかけに行った。

「最初の台本と台詞《せりふ》が違いませんか」

セットを見ていた王様はややうるさそうな視線を稲崎に向けた。稲崎はさすがに上から話せる相手ではないらしい（政屋相手だとままあるのだが）。

「脚本家のアレンジです。命を賭《か》けた任務に向かう隊員のリアリティを出すにはこちらのほうが自然だということで……」

「作家さんの許可は下りていますか」

軍事小説の大家であるその作家は、防衛省の幹部とも懇意でもちろん稲崎とも親しい。政屋たちのような若い者にも気さくに接してくれるが、作品に妥協をしないことでは有名だ。この作品を書くにも綿密な取材を重ねている。

「原作をアレンジする可能性があることは先生も納得しています。脚本家もベテランですから口出しは難しいんですよ」

「ではせめてアレンジ内容を打診しては」

食い下がる稲崎に王様はいよいよ苛立《いらだ》ちを隠さなくなった。

「そんな時間はないんですよ。放映日は決まってますし、編集に必要な時間もあります。先生様のご機嫌をいちいち伺ってる暇があったらとにかく撮ってしまわないと」

そちらの先生様のご機嫌を取る手段は選ばないくせにか、と政屋は横で眉《まゆ》をひそめた。

稲崎もさすがに腹が煮えたらしい。

「それでは、防衛省がここでシーンの変更に異を唱えたことは覚えておいていただきます。よろしいですな」

日頃は愛想よく冗談口ばかり叩いているとはいっても、百戦錬磨の一佐である。ここぞのときの迫力は並大抵のものではない。王様もさすがに萎縮《いしゅく》したらしく、ふて腐れた子供のように顎《あご》を突き出して頷いた。

その後、数日をかけてP―3Cを出し、護衛艦も出したが、同行した稲崎も弓田も変更された撮影内容には一切口を挟まなかった。

あまりに何も言わない広報陣を見るに見かねてか、汐里が合間を見て政屋の様子を窺いにきたが、政屋としてもこればかりは何も言ってやれない。

今撮っているシーンは全て無駄になりますよ、などということは。

「すみません、うちのディレクターが失礼なことを……」

汐里は広報室が口を閉ざした原因はディレクターと稲崎の衝突だと思っているらしいが、そうではないということは立場の低い汐里に言っても苦しめるだけだった。

案の定、時限爆弾は試写のときに爆発した。

「私は原作を引き上げさせていただきます」

最後のクレジットまで待たずに作家は宣言した。騒然となった試写会場で驚かなかったのは防衛省広報室の面々と出版社サイドだけだった。

「いや、しかし先生……！」

「原作のアレンジは撮影の手法上におけるものに限定し、ストーリーに関わることはその都度相談ということになっていたはずですな。私が許可した脚本とこの完成フィルムでは、クライマックスの部分がまったく逆の解釈に改竄《かいざん》されていて話になりません」

こうしたトラブルには慣れているのか、出版社サイドは淡々と撤収の用意をしはじめた。社に戻って法務上の相談を始めるのだろう。

「違約金のご相談は改めてということに。とにかくこのフィルムには、原作者として放映許可は出せません」

王様が泣きつくような表情で稲崎を振り返った。しかし、
それでは、防衛省がここでシーンの変更に異を唱えたことは覚えておいていただきます。

現場で稲崎が毅然《きぜん》と言い放った言葉を思い出したのだろう。さすがに何とかしてくれとは言えないようだった。

こうなると防衛省組にできることは何もない。稲崎と弓田が帰り支度を始め、政屋たち若手もそれに従った。

局を出る前に、政屋の足は自然と止まった。どうした、と他の仲間に聞かれてとっさに「便所」と嘘が零《こぼ》れ出た。

「すみません、先に帰っててください。俺、トイレ借りてすぐ追いかけますから」

このまま話が潰《つぶ》れたら、汐里と会う機会はもう二度となくなるかもしれない。数ヶ月にわたって『王様』と戦ってきた仲間として、このままの別れは惜しまれた。

試写室の近くまで戻ると聞き慣れた王様の怒鳴り声がした。

「お前が何とかしろ！　自衛隊のことはお前に任せてあっただろうが！」

その内容で相手は汐里だと分かった。そっと物陰から窺うと、通路に仁王立ちしている王様の背中とその前で項垂れている汐里が見えた。

「何のためにお前みたいなぺーぺーに自衛隊との連絡役なんかを任せてやったと思ってるんだ！　あの政屋みたいな女好きのお調子者を巧《うま》く踊らせて進行をスムーズにさせるためだろうがッ！　ADの中で少しは見てくれがマシだから男所帯の潤滑剤に抜擢してやったんだ、泣き落としでも体でも何でも使ってクライマックス撮り直しをもぎ取ってこい！」

……あー、久しぶりに傷ついたかも。

王様の暴言にではなく、汐里が王様にそういう命令を受けていたことに。

でも鹿野さん、汐里さん、俺は女好きなお調子者だから君のために踊ったわけじゃない。

仕事だからだ。道化て踊っても進行を円滑にするのが俺の仕事だからだ。

君も俺を踊らす笛なんか吹かなかったって俺は信じていいのかな。それとも、君は笛を吹くのが仕事だったのかな。

　項垂れていた汐里がふと目を上げた。政屋と目が合った。汐里はまた深く頭を下げた。それが自分に対してでないことは王様は気づいていないようだった。

　そして政屋も自分に向けて下げられた頭がどういう意味なのか分かりかねて、そのままそっと身を引いて元来た道を戻った。

＊

　広報室に戻るともう大幅に定時を過ぎていて、残っていたのは弓田だけだった。

「遅かったな、若い連中が憂さ晴らしに飲みに行ったぞ。お前にも電話を入れたが電源が入ってなかったそうだ」

「あ、試写の前に電源切ってそのままでした」

「いつもの店でやってるから気が向いたら来いだとさ」

「弓田三佐は行かなかったんですか」

「上官が行ったら憂さ晴らしにならんだろう。残業もあったしな」

　行かないのか、と書類を書きながら訊かれて、政屋は何となく近くの椅子を引いてきて弓田の前に座った。

「……俺って女好きのお調子者ですか」

「何だ、急に」

「稲崎一佐がいつも仰《おつしや》るじゃないですか。広報には女ったらしが向いてるって。だから俺を広報に引っ張ったって。客の前でもいつも言うし」

「嫌なのか」

「たらしだなんて言われて嬉しい奴、そんないないでしょ」

ふてたように呟くと、弓田は書類を書く手を止めて顔を上げた。

「あれは稲崎一佐としては最大級の誉め言葉だぞ。お前たちがいないとき、客の前で何て言ってるか知ってるか」

そんなもの知るわけがない。

「女性を会話で楽しませることができる人間は、それだけコミュニケーション能力が高いということだ。広報官は自衛隊を理解してもらうことが任務だから、コミュニケーション能力は必須《ひつす》なんだよ。それに、この能力はいろんな局面で応用が利く。部下の掌握もそうだし、同僚や他部署とのネットワーク作りもそうだな。そうした意味で非常に重要な能力だ。これを稲崎一佐流に言うと『女ったらしは広報に向いてる』ということになるんだ。捻《ひね》くれた人だから『出世する』とまでは誉めないけどな」

お前は期待されてるよ、と結んで弓田はまた書類に顔を落とした。そういう弓田もまた女性の取材者などをエスコートさせたら稲崎とは違ったタイプで人気があるのだ。

「そんなこともっと分かりやすく言ってくれないと……」

「分かりやすく言ったらお前ら調子に乗るだろうが」

言いつつ弓田がしっしっ、と政屋を追い払う仕草をした。もう帰れという意味だ。気が向いたら仲間の飲み会にも出たらいいという気遣いでもあるだろう。

無言で敬礼をして、政屋は椅子を戻して部屋を出た。


庁舎の外へ出てから、ふと思い出して制服のポケットから携帯を出して電源を入れた。

弓田の言ったように仲間からの着信と伝言が一件、そして――

汐里の着信も二つ入っていた。両方、伝言は残っていない。

と、三回目の着信が入ってきた。汐里だった。

「はい、政屋です」

「あの、鹿野です、あの……」

「王様のご叱責は終わったんだ？」

汐里の声が止まった。

「泣き落としと色仕掛けとどっちにするか決まったの？」

皮肉と呼ぶには力なく、挑発と呼ぶには毒のない、我ながら覇気の欠片《かけら》もない声だった。

王様の怒声のほうがよっぽど覇気に満《み》ち溢《あふ》れている。それが理不尽なものであっても。
「信じないでください」
懸命に涙をこらえている声だった。泣いたら泣き落としを選んだと思われると思っての
ことだろうか。
「私は政屋さんときちんと仕事をしているつもりでいました。性別とか容姿でこの仕事を
振られたつもりもありませんでした」
「分かってるよ」
女の君を利用したのは多分、君じゃなくて王様だ。多分としか言えないほどにしか君を
知らないのが残念だけど。
王様は無理を通すときはいつも君を怒鳴って俺が走るしかないようにしてた。理不尽な
ことで君が晒《さら》し者になってたら、俺はやっぱりいつも走らずにはいられなかったんだ。
でも、それが君じゃなくても同じように走れたのかって言われると、分からないんだ。
だって下心が全然なかったかって言われたら、それは頷く自信がないから。
だからやっぱり俺は王様の言う通り、女好きのお調子者で、王様の笛に、あるいは王様
が君に吹かせてた笛に巧く踊らされてたのかもしれない。
稲崎一佐が期待してくれてるとしても、弓田三佐が励ましてくれても、俺はまだ自分が
女性を巧くエスコートできる切れ者になれるなんて自信は持てないんだ。

「どうしてあのとき俺に頭下げたの？」

王様の罵声《ばせい》の最中、目が合ったときのことだ。

「ディレクターはきっと謝らないので……でも私はそれを黙って聞いてるしかできないんです。だからせめて」

私じゃ代わりにならないでしょうけど、と汐里は声を尻《しり》すぼみにした。

「私に撮り直しをセッティングしろとか、そんなの無理だって王様も分かってるんです。たとえ撮り直ししたって出版社と作家さんの承諾がないとどうにもならない。いつも通りの八つ当たりなんです、私に一番言いやすいから……そして、今日は割って入ってくれる政屋さんがいなかったから、止まらなかったんです。だから、政屋さんのことまで」

ごめんなさい、と汐里の声に初めて涙が混じったが、それは悔し涙だと分かった。

「私はいつも助けてもらってたのに、私は黙って聞いてるしかできなくて」

泣き落としでも色仕掛けでもなかった。ただ詫《わ》びるために汐里は気まずい電話を三度も掛けてきたのだ。

「……あのさ」

僻《ひが》みを振り切る意地が少しずつ腹の底から湧いてくる。

「もし、もしもだけど、今の状況が君の力で丸く収まったら、君の立場は変わるのかな。王様に逆転ホームランかっ飛ばせることになるのかな」

王様。王様。

彼女を気の向くままに足蹴《あしげ》にして俺をいいように見くびった。

そんなあんたをキャンキャン言わせてやれるなら、俺は地べたを舐めてもいいよ。

「それは……すごい逆転ホームランになると思います。でも、自分の手柄にされる可能性もあるかも」

「絶対、そんなことにはさせない」

王様。

俺はあんたが絶対使えないカードを何枚でも切るよ。

＊

稲崎が作家と出版社の双方と懇意だったことが具体的な切り札だった。しかし、政屋の切り札ではない。

「お願いします！」

政屋が腰から折って頭を下げると、稲崎は苦笑しながら手を振った。

「いくら何でも天皇陛下への無帽敬礼より深い角度で頭を下げるな。条件は局の上層部にこの会を実現させたのが鹿野さんだと伝えることだったな」

「間違ってはいませんよね？　自分が鹿野さんの熱意に負けて、稲崎一佐に繋《つな》いだ形ですから」

「もちろんそうだ」

稲崎もにやりと笑って頷いた。

「広報官は女性には礼儀正しいことが身上だ。あのディレクターが泣きついてきたところで忠告はしたはずですと蹴《け》り出すまでだ」

そんなやり取りがあって数日後、出版社と作家から局に対して申し入れがあった。

クライマックスの解釈を説明する会を持ち、クライマックスの撮り直しをするなら放映の許可を再考する、というものである。

もちろん局は――というか、ドラマに関わっていた部署は飛びついた。このトラブルで、もう一本のほうの放映許可も危うくなっていたからである。

場所は一応中立の防衛省、海幕広報室が提供した。

局から参加するのはプロデューサーとディレクター、脚本家、演出家などの制作責任者たち。更にドラマ部門の上層部から数名。そして場を作った責任者として汐里だ。

出版社からは当の作家と担当編集、編集長、取締役。

防衛省からは稲崎に弓田、そして作家が着想を得た事件の当事者であった隊員が数名。その数名に、広報室にくる前は那覇基地でＰ―３Ｃに乗っていた政屋も含まれていた。

国籍不明の潜水艦を追うエピソードで恐怖を感じる隊員がいなかった、ということを、脚本段階でリアリティがないと判断したという局側の説明に、作家は静かに口を開いた。

「リアリティがないと仰るが、それはあなたがた自身が私よりもこの事件に関して取材をなさったうえでの発言ですか」

「いえ、しかし普通に考えれば戦闘になるかもしれない状態を恐いと思わないのは不自然では」

「あなたがたのリアリティは失礼ながら空想上のものでしかありません。私は当時の事件に関わった隊員から綿密に話を聞きました。彼らにあなたがたの作ったクライマックスを観てもらうことにしましょう」

『恐いよ俺……生きて帰って来られるのかな』

おやしおの艦制御コンソールで肩を震わせる士官役。

また、P―3Cに乗り込む前に家族の写真をじっと眺める隊員。まるで、もう生きては帰れぬ場所へ赴くような物々しい出立の演出に、とうとう一人がこらえかねて吹き出した。

「あり得ねえー！　……失礼、あり得ないこと甚だしいと思われます！」

「うわ、もう恥ずかしいからやめてって感じ。キャー！」

げらげら笑い出して話にならない隊員たちに、テレビ局の人間は怒るよりも先に呆気《あっけ》に取られて言葉もない。

取《と》り敢《あ》えず笑い転げて話にならない隊員たちを試写室とした会議室の外へ追い出す。

残った経験者は政屋だ。

「政屋、お前が出動したときはどう思った。率直にご説明差し上げろ」

稲崎の命令に、政屋はこくりと頷いた。

「逃がすか！　と思いました」

「いやしかし……もしミサイルを撃たれたらとか、少しは恐いという感覚は」

すがるようにディレクターが訊くのは、脚本家の顔を立てたい意向もあるのだろうが。

「いえ、まったく。むしろ、このときのために日頃訓練してきたんだ、ここでおめおめと逃がしてたまるか！　という思いでした。それは、追跡に加わった者全員の思いだったと思いますよ。恐いとか頭をかすめもしませんでしたね」

政屋はきっぱりと否定した。

「カッコつけてるわけでも言わされてるわけでもないんです。ただ、我々にとっては領海侵犯や領空侵犯なんて日常茶飯事なんです。いちいち恐いなんて思ってたら自衛官なんか務まらない」

「おお、政屋が珍しく立派に見えるぞ」

茶々を入れる稲崎に「からかわないでくださいよ」と苦笑する。

「それに皆さんだって困るでしょう、自分たちの安全を預けてる人間がいざ有事のときに怯《おび》えて腹が据わらないようじゃ」

　それはまあ、と煮え切らない様子で局側の陣営が頷く。熱心に頷いているのは汐里だけだ。

「こうした状況があったら、こっちの心情としてはむしろ怒りしか湧きません。潜水艦が潜航したまま領海侵犯するということは、皆さんが思っておられる以上に深刻なことなんです。本来なら戦争の引金にもなりかねません。それを再三やらかすってことはこっちが舐められてるってことで、恐い以前にむしろ怒髪天を衝いてますよね。舐めんなてめえってなもんですよ。日本の領海内から追い出すまで見失ってたまるか、としか思いませんよ。見失ったらそれこそ国民の安全に関わります。そんなときに恐いとか考えるスキマなんかないですよ、脳の中に」

　そんな余計なことを考えるスキマを作っていたらこちらが危ない。

「それは空自で領空侵犯についてお訊きになっても同じじゃないですかね。とにかく不明機を領空外へ退去させる、それ以外考えてないと思いますよ。海にしろ空にしろ、司令部との連携以外に脳味噌《のうみそ》使う余地なんかありません。先生の書かれた原作は不明潜水艦が核を撃とうとする筋書きでしたが、それなら余計に拿捕《だほ》、もしくは撃滅に必死になるんじゃないでしょうか。実際、先生の原作は核を撃たせてなるものかと必死に戦う男たちの姿を書かれたものでしたよね。アレンジされた部分だけがやはり浮いて見えてしまいました」

ていうか、と政屋はまた苦笑した。

「先生の書かれた状況で『恐いよ俺』とか吐《ぬ》かす隊員がいたら、自分は機が離陸してでもそいつを蹴り落としますね。そんな奴が一緒に乗ってたら、足引っ張られてこっちの身も危ないですから。全員危険に晒《さら》すくらいならいっそ今死んどけ！　ってなもんですよ」

弓田が目線だけで政屋の話を止めさせた。そして口を開く。

「アレンジされた脚本は、その部分だけを抜き出せば戦場のリリシズムとして優れたものだと思います。しかし、先生は現代の自衛隊を舞台に書いておられるわけで、また我々も撮影に協力するのは自衛隊への理解を深めていただく広報の機会と捉《とら》えているからです。有事に二の足を踏む、などというマイナスイメージの自衛隊を描かれるなら、運用の高価な兵器を使ってまで協力するわけにはいかなくなってしまいます」

ここで稲崎が作家に話を振った。敢えてテレビ局に対して話さない辺りが話術だろう。

「元の脚本で撮り直しをするということであれば自衛隊としてはご協力できますが。幸いなことに、アレンジされたシーンは海自だけですから。その場面だけであれば海幕の裁量だけで済む話ですし……どうでしょうね、先生」

「私は構いませんが……出版社としてはどうです？　もう法務で局側と相談が進んでいたんでしたか？」

作家がもう一つパスを回し、

「……何とぞ、撮り直しにご協力願います」

局から出向いてきた最高責任者が最後に頭を下げ、テレビ局側の全員がテーブルに鼻先がつくほど低く頭《こうべ》を垂れた。


局の面々が部屋を出て、あとを片付けながら政屋は誰かの忘れ物らしい携帯を見つけた。局の人間が座っていた辺りである。

ちょうど上着のポケットから滑り落ちた感じで椅子の上に転がっており、その派手派手しいカラーに見覚えがあった。特注のペイントを施したとか自慢していた王様のものだ。

このまま気づかなかったふりをして放っておいてやろうかと思ったが、さすがにそれも大人げない。局の人間は撤収したばかりなので追いかければすぐ追い着くだろう。

携帯を片手に追いかけると、一行はエレベーター待ちの最中だった。

「いや、一時はどうなることかと思いましたが……何とか丸く収まりましたね」

王様がいつもどおり軽薄に笑っている。稲崎一佐とは撮影中に懇意になったので何とか話を繋げてもらえました、などとさも自分の手柄のように話をしている。

「ここでヘマをするわけにはいかないからな。いつもみたいにポカをするんじゃないぞ、鹿野」

汐里が不本意そうに俯くと、「返事は！」と偉そうに重ねている。

政屋が逸《はや》って出ようとした瞬間、局の責任者が冷たく言い放った。

「君は鹿野君にそんな偉そうなことを言える立場かね？」

軽薄な笑顔が軽薄なまま固まった。

「今日の会を実現させたのは自衛隊との連絡役を受け持っていた鹿野君の熱意によるものだそうじゃないか。稲崎一佐からも伺っているよ。鹿野君は撮影中よくやってくれたと」

王様が地に落ちた。恐らくは今この一瞬だけだろうが。

「鹿野君の尽力がなければ、局は大損害を出していた。あの作家に書いてもらうのにうちがどれだけ苦労したと思ってるんだ。もうパブリシティも打ち終わっていたんだぞ。脚本の先生が自衛隊の専門家じゃないことを鑑みても、撮影時に稲崎一佐の申し入れがあった時点で作家側に打診をするべきだっただろう。挙句、私たちまでこんな場に呼び出されて恥をかく始末だ」

王様が真っ青になってぺこぺこ頭を下げはじめたが、それは汐里と違って理不尽なことではない。

政屋は軽く走ってきたような態《てい》を装ってエレベーターホールに入った。

「よかった、まだこちらにいらっしゃいましたか」

言いつつ王様に携帯を差し出す。

「忘れ物です、間に合ってよかった」

派手な攻撃色にカラーリングされた携帯は、その場から滑稽《こっけい》なほど浮いて見えた。

どうも、とかすみません、とかぼそぼそ呟きながら王様が携帯を受け取る。

そして政屋は他の全員にも自衛隊仕込みの礼をした。そして、

「あ、鹿野さん」

立ち去り際に汐里を振り返って笑う。

「最後の撮り直しになりますが、それまでお互い連絡役としてよろしくお願いします」

「いえ、こちらこそ」

汐里が慌てて頭を下げる。

そして政屋は今度こそその場を立ち去った。

＊

撮り直しでは汐里がやたらとディレクターに怒鳴られることもなくなり、その王様ぶりはすっかりなりを潜めた。

護衛艦が横須賀の岸壁を離れて沖合に消えたころ、横須賀上空をP－3Cの三機編隊と撮影用の汎用《はんよう》ヘリが二機編隊で通過した。

トイレなどの女性用の設備がないという問題で汐里はこの撮影には同行しない。広報室からは空に稲崎、海に弓田がそれぞれ同行し、政屋も留守番だ。

「ありがとうございました」

汐里がぺこりと政屋に頭を下げた。政屋は慌てて手を振った。

「いやぁ、俺は何もしてませんから。稲崎一佐がいなかったらそもそもまとまってない話ですし」

「でも、稲崎さんに撮り直しを頼んでくれたのは政屋さんですから」

「それは仕事ですから」

仕事ですから、と言ったときに、汐里が少しがっかりしたような表情になったのは気のせいか。

「ほら、一緒に王様には散々困らされたじゃないですか。僕も意趣返ししたかったんですよ」

……ああ、だから。

あなたが理不尽に怒鳴られてるのがいたたまれなかったんです。

何で言えないんだろう、余計なことはペラペラ喋れるのに。

「政屋さん、領海侵犯のときに出動なさってたんですね。そのときのお話、もっと伺っていいですか？」

「あ、じゃあPXでも行きましょうか」

「ここでいいです、風も気持ちいいし」

そう言いながら、汐里は自分が先に芝生に腰を下ろした。政屋もやや遠慮気味に距離を空けてその隣に座る。

「皆さん、あの脚本変更が致命的な過失になるって分かってらしたんですね」

「ええ、まあ。あの先生は防衛省の各幕僚部とも付き合いが長いし、中でも稲崎一佐とは気が合うのか仲がいいですからね。僕ら下っ端でも『あ、ここを勝手に変えたらあの先生はきっと怒るな』って分かるくらいですし。だからあの撮影のとき、稲崎一佐がけっこう食い下がって意見してたでしょう」

「本当にああいう任務のとき、恐くはないんですか？」

「ないです」

それは何度訊かれても自信を持って頷ける。

「そういう任務こそ、僕らの『本番』ですから。いつ来るか、どこに来るかも分からない『本番』のために、僕らは毎日毎日訓練に明け暮れてるわけで。いざ『本番』となったらもう、アドレナリン放出しっぱなしですよ。ずっと一機で追えるわけじゃないですからね。燃料の問題もあるから、途中で僚機と交替しないといけない。その交替のタイミングで、空からは見失いやすいんですよね。だから、自分のときに見失ってたまるか、と全員必死でしたね」

「ご無事に戻られて何よりでした」

笑顔で言われて、あわてて目を逸《そ》らした。ああ、こんな笑顔で無事を喜んでくれる人がいたらなぁ、などと考えてしまったので。

「戻ってからはどうなさってたんですか？」

訊いてから汐里は言い訳のように付け足した。

「さっき、任務が終わってからのお話は聞けなかったので。純粋に疑問だったんです」

「自転車で基地の近所のコンビニに行きました。疲れてたせいか無性に甘い物が食べたくなって……シュークリームとかケーキとか、生クリーム系でちょっと高いやつ。基地にもコンビニは入ってたんですけど、たまたま売り切れてて安い菓子パンしかなかったんですよね」

「……何か、いきなり日常なんですね」

汐里がころころ笑う。ああ、やっぱり笑顔のほうがいい。鼻の頭を赤くして俯いているより。

「そんなもんですよ。結婚してる隊員も自転車でキコキコ家に帰ったら奥さんが『今日は鯖《さば》のみそ煮よー』とかだったって」

汐里がまたおかしそうに笑う。

「ついさっきまで映画みたいな大追跡劇を演じてたのに、地上に戻るとなーんも変わってなくて、何もなかったみたいで。俺も生シューとエクレア買って三百いくらとか払ってるし。レシート要りません、とか」

「でも、政屋さんたちのおかげで『なーんも変わってなくて、何もなかったみたい』なんですよね」

どうしてかは分からない、その言葉でスイッチが入ったように胸が熱くなった。

……結婚している奴はまだいい。今日大変だったよと言える人がいる。

もし、そんな任務を終えて、彼女に「今日大変だったんだ」と電話を掛けられたら――

どんなにか、

「ずっと那覇基地におられたんですよね？　どうして今は海幕の広報に？」

あ、駄目だ流れた。がくりと政屋は首を落とした。取り繕ってもどうせ稲崎でばれるし、最初の紹介がアレだった。

「稲崎一佐に引っこ抜かれたんです。……広報には女ったらしが向いてるって」

汐里も最初の顔合わせのときを思い出したらしい。フォローなのかどうなのか、

「本当なんですか？」

などと訊いてくる。

「いや、これは稲崎一佐流の言い方で、女性と自然に話せる人間はコミュニケーションの

能力が高いから広報官に向いてるってことを言いたいらしいんですけど、これは弓田二佐が言ったんですけど」

　自分の台詞が支離滅裂だ。

「女性と話すのはお好きなんですか」

「そりゃ好きですよ、当たり前でしょう。女性と仲良くしたくないなんて本気で思ってる正常な男なんかいませんよ。そうでなくとも出会いが少ないんだし、話す機会があったら楽しく喋りたいじゃないですか」

　政屋は逆ギレ気味にまくし立てた。

「そんで、相手が携帯番号交換しようよとか言い出したら、そこで断るのも何か感じ悪いじゃないですか。だから合コンとかある度に携帯番号やメルアドは増えちゃうんですよ」

「だから女ったらし」

「でもそれは非常に不本意な呼称で！」

　政屋の声は思わず大きくなった。

「女友達が増えるだけで彼女なんかできやしないし、しかも一旦《いったん》男を恋愛対象から外した女性がどれだけ気ままか知ってます？　一方的にのろけ話メールしてきたり、愚痴こぼしたり、自慢話してきたり。『何か政屋くんは話しやすいから－』って、結局それ俺を便利に使ってるんじゃないですか」

もの」

「あー、でも、彼女たちの気持ち分かっちゃう。政屋さんて何か『聞いてくれそう』なんだもの」

「俺だって聞いてほしいですよ、色々と！」

もし。もし。もしも。

「もし、鹿野さんが俺と付き合ってくれるなら、合コンで知り合った女の子のアドレス、まるごと消去してもいい」

どうせ今日が会う最後だ、とやけくそになって芝生に引っくり返った。

「本当ですか？」

意外と真面目な声が降ってきてどきりとすると、汐里は真顔で政屋を見下ろしていた。

「……本当、ですが何か？」

「私けっこうヤキモチ焼きだから、付き合いでも合コンとか行ったら不機嫌になるかも。女友達とかにもあんまり寛大になれないタイプだし」

うわ、その立場めちゃくちゃ欲しい！　心の中では叫んだが、声はかすれた。

「……信じられないような大変な任務に当たったときに、さ。生シュー買って、エクレア買って、隊舎に戻って食べてから『今日大変だったんだ』って電話掛けられるような人がいてくれたらって、ずっと思ってた。俺だけ一生懸命喋って盛り上げて笑わせなくても、静かに話したりそばにいるだけでお互い落ち着くような誰かがいてくれたらって」

ぼんやり喋っているうちに事の推移に改めて気がつき、飛び起きた。

「あ、あの、消す？」

携帯を出して訊く。電話帳はカテゴリー分けしてあるから消すのは一瞬だ。

だが、汐里は笑って首を横に振った。ああやっぱり冗談か――と首を落とすと、汐里は
「そうじゃなくて」と笑った。

「相手の人たちはみんな政屋さんの携帯知ってるんでしょ。だったら電話番号変えなきゃ意味ないし、そこまでココロ狭くなりたくないので取り敢えず努力。その代わり」

私の携帯番号、一番特別な場所に名前だけで登録してください。

政屋はもう一度ゆっくり芝生に倒れ込んだ。どうしたんですか、と覗《のぞ》き込んでくる汐里の顔はまともに見られず、目の上に腕を組みながら一言だけ「溶けた」と答えた。

Fin.

青い衝撃

Blue Impulse

夫がモテて困るんです。

などというと鼻持ちならない贔屓《ひいき》の引き倒しだと思われるものだが、相田《あいだ》公恵《きみえ》の場合はそれが本当なので仕方がない。

＊

公恵の夫である相田紘司《こうじ》は、航空自衛隊の花形——松島《まつしま》基地所属、第四航空団第十一飛行隊、通称「ブルーインパルス」のパイロットなのである。

航空自衛隊の基地祭、通称航空祭に通い詰める航空ファンには若い女性も少なくなく、戦闘機やそのパイロットに黄色い悲鳴を上げている。

中でもブルーインパルスとくればその人気の最頂点に君臨する存在である。自衛隊広しとはいえ、降機して歩いているだけで群がられてサインを求められるような自衛官など、彼らブルーインパルス以外あり得ない。

自衛隊グッズの中でも、メンバー全員のサインが入ったブルーインパルスのカレンダーなどは飛ぶように売れるので、ブルーインパルスお馴染《なじ》みの青い制服に身を固めた隊員を動員してグッズ販促がてらちょっとしたサイン会状態になることも度々だ。

紘司は現在の正パイロットの中では一番の若手であり、ルーキーとして人気急上昇中だという。四番機のポジションで入ったが、アクロバット技術的にはまだまだムラがある。しかし、背が高いこととブルーのメンバーであることで男前が五割ほど跳ね上がっているらしい。

妻の贔屓目かもしれないが、紘司は顔立ちもそう悪いほうではなく、それが五割増しとなったら紘司に群がっている女性たちには三十男がJのつく事務所のアイドル並に見えているのだろう。

……今日もよくモテてるなぁ。

関係者の優待席になっている建物の屋上から、公恵はサイン会状態の中の紘司を目敏《めざと》く見つけて見下ろした。芋洗いの駐機場や長蛇の列の簡易トイレに比べ、関係者や家族用に確保されている施設はゆったりしている。

松島くんだりまで来るくらいだから、下で紘司を取り囲んでいる女性たちはよほど熱心な追っかけだろう。全国各地のイベントで飛び回るブルーだ、家族が気軽に見に来られるのは本拠地の松島航空祭くらいしかない。

いつまでもデレデレ女の子に囲まれてないで早く上がってくればいいのに、もう。

とはいえ、自衛隊の好感度アップも彼らブルーの重要な役目だ。公恵としては複雑だが、仕方ない。

と、紘司を囲んでいる女性たちのうちの一人が屋上を見上げた。

ロングヘアを軽く縦に巻いた美人だった。所在なく地上を眺めていた公恵とはっきり目を合わせ、そのアーモンド型の瞳《ひとみ》が笑みを含んだ。その笑みは知ってる、勝った笑みだ。

何、感じ悪い。ていうか何であたしが他人からこんなふうに笑われなきゃならないの。

公恵が眉《まゆ》をひそめたとき、

「ママー、おしっこー」

シャツの裾《すそ》を引っ張ったのは、三歳になる息子の優太《ゆうた》である。

「はいはい、ちゃんと言えていい子ねー。じゃあ行こっか」

優太と手を繋《つな》いで屋内へ向かう。

「パパは？」

「パパはまだお仕事よ」

そう答えながら、ちらりと今までもたれていた屋上の柵《さく》を振り返る。

見知らぬ他人、しかも美人に勝ったように微笑まれた。そのことが小さなトゲのような不快さで胸に刺さっている。

公恵は軽く溜息《ためいき》をつき、優太の手を引いてトイレに向かった。

優太のトイレを終わらせてから、二人で手を洗う。優太の手を拭《ふ》きながら洗面台の鏡にふと目をやると、そこに化粧っけのない所帯じみた女の顔が映ってぎょっとした。

あたしいつからこんなに老けたっけ？

年はまだ二十七歳なのにもう三十代に見える。それも「大人っぽい顔立ち」などというファクターなしでだ。結婚前はむしろ童顔で若く見られることのほうが多かったのに。

思わず鏡に身を乗り出す。自衛隊特有の古い設備、薄暗い照明の効果でそう見えているだけかと思ったが、確かに自分が思っていたより肌がくたびれている。

やんちゃ盛りの子供の面倒を見ながら家を切り盛りするのに精一杯で、最近はゆっくり鏡を見ている暇もなかったからか。気づかないうちに確かに肌は曲がり角を驀進《ばくしん》中だった。

そういえば、最近は肌の手入れも手抜き気味だったかも。って——いつから手抜き気味だったか思い返すのも恐ろしい。

一体どういう訳だか分からないが、あの美人に勝ったように微笑まれたことを女としての本能が納得した。

＊

トイレから戻ると、ようやくファンサービスを終えたブルーインパルスのメンバーたちが休憩室に戻ってきていた。

「優太──────────────！」

「パパ──────────────！」

両腕を広げて腰を落とした紘司に、優太が思いきり飛び込んでいく。優太を抱きしめた紘司が肩を打ち震わせながら膝《ひざ》を突く。

「もうパパったらこんなところでっ！」

たしなめながら公恵は周囲で笑っている人々に会釈を振りまいた。

アニメ名作シリーズで『母をたずねて三千里』をぶっ通しで借りて見てからというもの、この大袈裟《おおげさ》な再会の抱擁は紘司と優太の間でお気に入りのギャグになっている。

「マルコ、ジェノバからよく来たな！　ここはどこだ⁉」

「アルゼンチーン！」

どっと周囲から笑い声が上がる。

「よく仕込んであるな、相田！」

声をかけたのは一番機の飛行隊長、中津《なかつ》二佐である。

「こいつが気に入っちゃって延々観ましたからねー」

言いつつ紘司は優太に頬ずりした。

「でもあれって再会したときは母親が病気でそんながっちり抱擁できる状態じゃなかったんじゃないか？」

首を傾げたのは階級は同じだが紘司より先輩の三番機、高島《たかしま》一尉である。

「父と子なのでアレンジしました！」

これが自宅だと優太を抱っこしたままぐるぐるとスピンを始め、家具や柱に優太の足をぶつけて泣かすのが日常茶飯事だ。

「しかしあれは大人になってから観ると苛々《いらいら》しますね。マルコのお母さんに突っ込みたいですよ、そこにいろ動くな！　って。自分がテレビの中に入れたら、マルコのお母さんをふん縛ってブエノス・アイレスで幽閉します。何故誰もあの母親の徘徊《はいかい》を止めない！」

「徘徊かよ！」

「徘徊も徘徊、大徘徊ですよ！　ブエノス・アイレスに行くはずが、ガンガン奥地に突き進んでるんですよ！　どこまで行くんだ国境越える気か！」

「相田にかかると名作も形無しだな！」

またメンバーに笑いが巻き起こる。

こんな具合でチームの中でもお調子者のポジションにいる紘司だ。

「その本性はファンの前では絶対出すなよ、女性ファンがごっそり減るからな」

「というか中身がそれなのに一番女の子にキャーキャー言われてるのが納得行かん」

それは公恵もまったく同感である。日頃の姿を見てキャーキャー言えるものなら言ってみろ、と言いたい。

「それじゃ飛行後打ち合わせ《デブリーフィング》に行くか」

中津二佐の声でメンバー全員の表情が引き締まる。それは紘司も同様で、やはり真面目な顔をしていると男前が上がる。喋《しゃべ》らせないのが前提だが。

デブリーフィングは別の棟のフライトルームで行われるので、それぞれ家族や関係者に挨拶《あいさつ》を残して休憩室を出ていく。

「パパ」

引き止めようとする優太を「パパはまだお仕事があるからね」と宥《なだ》めて手を振らせる。

「晩メシまでに帰るからな！」

紘司も優太の頭を撫《な》でてから部屋を出ていった。

外に出たらまたファンに囲まれるのだろう。ご苦労なことだ。

『本日の展示飛行は全て終了いたしました。ご来場のお客様は気をつけてお帰りくださいませ』

表でそんな放送が流れた。

展示飛行とは航空機やヘリなどが実際に飛行して見せることを言い、ブルーインパルスは大抵の航空祭でその展示飛行のトリを務める。

後片付けの問題もあるのでブルーの飛行が終わったら来場者には早く帰ってもらいたい、というのが隊の本音であり、放送は要するに「早く帰ってくれ」と婉曲《えんきょく》に急《せ》き立てているわけだが、したたかな航空ファンにはこれがなかなか通用しない。

よその基地から呼ばれた機体の中には、航空祭終了後に帰投するものがある。ファンはこれを知っているので、なかなか滑走路脇から離れようとしない。居残っているとたまに面白い放送も聞ける。

『入間《いるま》基地から応援のC―1搭乗員は、即刻機体に戻ってください。繰り返します、入間基地から応援のC―1搭乗員は即刻機体に戻ってください』

滑走路脇のファンや素直に帰っていくファン、そして公恵たちのいた休憩室でもどっと笑い声が上がった。

C―1の搭乗員でなかなか帰ってこない者がいて、飛行隊長か管制官が業を煮やしたのだろう。戻ったらさぞやこっぴどく叱られるに違いない。しかし、そんなアクシデントもファンには余興の一つである。

「優太も飛行機見る？」

「うん！」

頷《うなず》くなりドアへ向かって駆け出そうとした優太を、公恵は「だめー」と抱き止めた。

「屋上はもう寒い寒いになっちゃうよ。ここの窓から見ようね」

はぁい、と寒がりの優太は聞き分けがいい。九月下旬の松島は、夕方になるともう風が涼しい。

優太にはすぐ窓際の椅子に乗せて外を見せてやったが、自分が外を見る前にはちょっと地上を窺《うかが》ってしまう。

グルーピーのように紘司を囲んでいた女性ファン、その中から一人だけ屋上を見上げ、はっきりと公恵に勝った笑みを向けてきた美人。刺さった胸のトゲはまだ抜けていない。

そぅっと地上を見下ろして、理屈抜きでぞっとした。

公恵を見下すように笑った美人は、まだ下にいた。まるでこの建物を見張るような位置に。それも視線は見上げる角度を刻々と変え——自分を探している。直感的にそう思った。

壁際から出られなくなった。

「ママー、みんなバイバイしてる」

優太に呼ばれて、せめて壁際から同じ光景を眺める。

タキシング中の入間のC—1に向かって滑走路脇の観客が一斉に手を振っている。多分、機内から乗員が手を振っているのだろう。何だかんだと言いつつ喜ばれるのは嬉《うれ》しいもので、戦闘機やヘリでも乗員はできる範囲でお客に愛想を振りまくのが常だ。

離陸ポイントについたC―1のエンジン音が、アイドリング状態からフルスロットルの轟音《ごうおん》へと急上昇する。建物の中にいても関係ないほどの咆哮《ほうこう》だ。

その鈍重そうなフォルムからは考えられないほど短い滑走で宙に浮いた機体は、やはり重厚ではあっても軍用のスペックを持っているのだ。宙に浮いて上昇しながらC―1は翼を上下に振った。機動性の高い戦闘機ならたやすいが、C―1でとは。しかも、上昇中のこの超低空で。

「おっきい飛行機、バイバイした！」

「そうだね、すごいね」

良い整備をされているのだな、と久しぶりに昔の血が騒いだ。

『百里《ひゃくり》から応援のF―15とF―4は、本日は帰投いたしません。お帰りの際には入場口や公共交通機関がたいへん混雑いたしますので、ご来場のお客様はお早くお帰りください』

意訳すると「これ以上待っていても帰投する機体はないのでとっとと帰ってください」ということだ。隊が来場者の誘導に業を煮やしはじめると、こうしたアナウンスが出る。

滑走路脇に固まっていた観客がいかにも渋々という様子で徐々に散りはじめた。

関係者や家族もちらほらと帰る者が出てくる。

「公恵さん、一緒に帰らない？」

声をかけてくれたのは三番機の高島一尉の奥さん、潤子《じゅんこ》だ。夫婦とも年が近いうえに、お互い子供もいるので家族ぐるみで仲良く付き合っている。

下を窺うと、例の美人はもういなくなっていた。まだどこかに残っているのだろうか？官舎までの距離は近いが、潤子と一緒に帰れるほうが心強い。

「公恵さん、今日の晩ごはんはどうするの？」

「出かける前にトンカツを揚げるだけにしてきました。パパも優太も好物だから」

「それ、楽でいいわねぇ。うちなんかパパと子供で全然好みが違うから嫌になっちゃう」

高島一尉は基本的に魚が好物で、子供は魚が好きでないという。

「うちのパパは食べ物の好みが子供みたいだから。優太の好物に合わせたら大丈夫」

今日は出前でも取っちゃおうかなぁ。投げやりな潤子の呟《つぶや》きを聞き逃さず、手を繋いだ高島家ご長男が「ピザ！」と叫ぶ。

「だめよー、晩ごはんでピザなんかパパがプンプンよー」

子供を宥めながら潤子が公恵に向かって笑う。

「あんなおやつみたいなものがメシになるかって言うのよ、うちのパパは」

紘司なら逆に喜びそうなメニューである。優太とどれがいいかでケンカになりそうではあるが。

夕食の献立に悩む潤子に付き合いながら、お互い夫のことは当然のようにパパと呼んでおり、紘司をパパとしか呼ばなくなって何年経つかなとふとそんなことを思った。

＊

お帰りなさい、紘司。

などと言ってみようかと思いながら、結局帰ってきた紘司にかけた声は「お帰りなさい、パパ」だった。

「ただいま、今日のメシ何？」

「トンカツ」

「いいねえ、ママのトンカツはお店よりおいしいもんな！」

言いつつ居間から走ってきて抱きついた優太を抱っこして、紘司はブルーインパルスの制服が入っているバッグを公恵に渡した。

「これ洗濯頼むよ」

「次、どこだっけ？」

「三沢《みさわ》だから当日帰投できるんじゃないかな」

また女の子に囲まれて大変ね。トゲのあるその台詞《せりふ》は飲み込むのに苦労した。

「今日、けっこう良かったんじゃない？」

「あっ、そう⁉　やっぱり⁉　さすがママだな、実はデブリーフィングでも隊長に誉められてさ」

というのは今日のアクロバットのことである。紘司がどのポジションで飛ぶかは事前に構成を聞いているし、公恵の目は飛行機を見慣れている。

ブルーインパルスの任期は三年間で、要員は戦闘機パイロットから選出される。紘司は公恵と出会った小松《こまつ》基地でF―15のパイロットを務めており、公恵と結婚して二年目――ちょうど優太が一歳の頃にブルーインパルスへの辞令を受けた。

一年目は練成パイロットとして訓練を積み、二年目の今年デビューしてちょうど半年程が経つ。

デビュー直後から紘司の女性人気は凄《すさ》まじかった。デビュー早々にごまかしようのないドジをかましたことが逆に「カワイイ」と人気を押し上げたようだ。

俗に「描《か》き物」と呼ばれる、スモークで空に画《え》を描く科目の中でもことにファンの人気の高い「バーティカル・キューピッド」――二機がかりで描いたハートを別の一機が矢となって射抜くその曲技で、紘司はものの見事に、ごまかしようもなく、矢を明後日《あさって》の方向へ外したのである。

デブリーフィングではこってり絞られたものの、その豪快なすっぽ抜けは地上に笑いをもたらし、女性ファンの母性本能をも大いに刺激したらしい。三十男が相田くん呼ばわりでキャーキャー騒がれる元となったわけである。

「これでママが整備やってくれたら最高なんだけどなぁ」

　食卓に着きながら紘司がぼやいた。

「無理言わないの、辞めなきゃついてこられなかったでしょ」

　紘司にブルーへの辞令が下りるまでは公恵も航空自衛隊の工作班に勤めていた。装備品の整備や修理を担当する班で、紘司たちの飛行隊が駆るF―15も、もちろん工作班で整備していた。

「それとも単身赴任でもすればよかった？　家族と離れて独身気分っていうのもよかったかもね、女の子たちにキャーキャー言われて」

「何だよ、突っかかるなぁ」

　優太の前だぞ、と紘司が小声でたしなめる。夫婦ゲンカは子供の前ではしない約束で、紘司が先に釘《くぎ》を刺しにきたのは今のでかなりカチンときたことを示している。幸い優太は大好きなアニメに見入って箸《はし》も止まっている状態だが。

「ファンサービスだって分かってるだろ、あんなの」

　ブルーの隊員として女性ファンに騒がれるのを妬《や》いているのだと紘司は解釈したらしく、それも一部は当たっているが全部じゃない。

「けっこうくたびれるんだぞ、鬱陶《うっとう》しいのがいても邪険にはできないしさ」

「そんな話じゃなかったでしょ」

公恵もやんわり押し返す。

「どっちにしろあたしには同じ辞令が下りなかったんだから、パパの整備はできなかったわよ。仕方ないじゃない、あたしだってできるものならパパの整備したいけどさ」

こう言うとお人好《ひとよ》しの紘司が弱いのは知っている。

「……ごめん」

「いいのよ。子育てとの両立もきつかったし潮時だったわ。ついてきたかったし」

お代わりは？　と訊《き》くと紘司は嬉《うれ》しそうに空になった茶碗を渡してきた。

「あー、それからこれ捨てといて」

ご飯を注ごうと席を立った公恵に、紘司が尻《しり》ポケットから小さな紙切れを何枚か出して渡した。色とりどりで大きさが大体そろったそれは、パソコンで作れる名刺である。

「どうガードしてもどうやってか何枚かは突っ込んでくるんだよなぁ」

大抵は女性名に携帯番号とメルアドが印刷してある。強引な女性ファンの中にはこんなことをしてくる者もいる。剛の者はプリクラ写真付きだ。

「入れられるときには気がつかないの？」

「つくもんか。ポケット庇《かば》ってたらブーツの隙間やヘルメットの中に突っ込んであったりするんだぞ」

「一回くらい掛けてみようとか思ったこと、ないの？　ほら、このプリクラの子けっこうかわいくない？」

敢《あ》えてからかうように訊いてみると、紘司が不本意そうに抗議した。

「こっちの知らない間に名刺忍ばせてくるような女、恐くて連絡できるわけないだろ！」

はいはいといなしながら名刺を半分にちぎって流しの三角コーナーに捨てる。それから紘司のお代わりだ。

「こーら優太、テレビばっかり見てたらパパがトンカツ食べちゃうぞ」

「やだっ！」

優太が慌ててトンカツをがっつきはじめる。

いつもと変わらない、紘司が家にいるときの光景。

……大丈夫。

公恵は茶碗を紘司に渡しながらその場にそぐった笑顔を保った。

あんな若い女の子たちにキャーキャー言われてたら、あたしみたいな所帯じみた奥さんなんか嫌にならない？

そんな卑屈な質問を投げなくてもうちは大丈夫。紘司はブルーの人気者だけど子煩悩で家庭を大事にしてくれている。

きっとあたしのことも昔と変わらず愛してくれている。

けれど、内心で愛だなんて大仰な言葉を選んだこと自体が自信を根こそぎ刈られた証拠だと、その日のうちに公恵は思い知らされることになった。

優太を風呂《ふろ》に入れるのは出張でない限りは紘司の役目で、二人が風呂に入っている間に公恵は紘司から預かったブルーのユニフォームを脱衣所でバッグから出した。

ブルーインパルス隊員の制服が薄汚れていたのではお話にならないから、洗う前に汚れを丹念にチェックして、必要なら部分洗い用の洗剤を叩《たた》き込んで、つまみ洗いをしておくのである。

と、襟回りをチェックしていた指先が、うなじに当たる襟の折り返しの中に布とは違う何かの感触を探り当てた。

引き出すとそれは二つ折りにされたメモで、——引き出す前に自分宛てだと分かった。

脱いだユニフォームを大雑把に畳んで持ち帰ってくるだけの紘司が背中側に忍ばされたメモに気づくはずはなく、またきっちりと折られた襟の隙間からメモが落ちることもない。

そして、夫の衣類を洗濯する妻なら必ず襟の回りはチェックする。汚れの首輪がついた制服を夫に着せるなど女としての沽券《こけん》に関わるからだ。

動揺していない振りをしようとしたのに、指先が細かく震えたのが悔しい。

開くと一文。


『あなたにだったら、勝てそう』


カッと頭に血が昇り、メモを握《にぎ》り潰《つぶ》した。怒りに任せて捨てようとして――思い直して自分の下着が入っているタンスの引き出しの奥へしまった。

これは宣戦布告だ。――考えるまでもなく、地上から公恵を見上げてきたあの女からの。

手作りの名刺を突っ込んでくる女の子なんてミーハーでかわいらしいものだ。このメモの悪意に比べれば。

どこでどうやって紘司の妻が公恵だと知ったか知らない、しかしこの女は公恵に勝つ、と――紘司を盗《と》る、と生々しく宣言してきたのだ。

ストーカーになる恐れもある。証拠になりそうなものは何一つ捨てるべきではなかった。

奔騰《ほんとう》した感情が収まると、じわじわと足元から水が染みるように不安が這《は》い上ってきた。

紘司は、彼女のことを知っているのだろうか。

風呂場からは紘司と優太のはしゃいでいる声と水音が漏れてくる。今すぐにでも紘司に問《と》い質《ただ》したい、だがそれは紘司を信用していないということだ。

優太の上げる子供特有の甲高い声がことさらに耳に障り、気づくと制止が間に合わずに怒鳴っていた。

「いいかげん静かにしなさい！　お風呂はプールじゃないのよ、あなたもっ！」

ぴたっと風呂場の中の喧噪《けんそう》がやんだ。

「怒られちゃったな。シーッだ」

「シーッ」

真面目に体を洗いはじめたらしい二人の気配に自己嫌悪が襲った。自分が動揺していたから八つ当たりする先が欲しかっただけだ。

昼間の「お出かけ」で疲れたのか、優太はいつもより早く眠ってしまった。

大人二人は寝る時間にはまだまだなので、何となく点けっぱなしのテレビを見る。紘司は無難なバラエティ番組でいつもどおりに笑っているが、公恵は笑う振りをしているだけだった。

訊きたい。訊いちゃいけない。二つの気持ちの間で針が振れて止まらない。

彼女はただの一ファンであるということ以外に、公恵に宣戦布告をできるような繋がりを紘司と持っているのか。

そんな女知らないよ、と怪訝《けげん》な顔をしてほしい。でも訊いたせいで紘司が疑われたことを不快に思ったら？　既に知り合いの位置を確保していて、付け入る楔《くさび》を打ち込むための策略だったら？

「……ねえ、あなた」

迷いに迷ってついに声が出てしまった。

「んー、何？」

紘司はこれから疑いをかけられるなんて微塵《みじん》も思っていない様子で応じた。

その屈託のない声と表情で、直前の手綱が引けた。

「あたし、最近どう？」

「どうって……」

「最近老けた？」

「いや、別に……そんなこともないと思うけど」

公恵はわざとコタツの天板にぱたりと伏せた。

「今日、基地で優太をトイレに連れていったとき、洗面台の鏡に映った自分の顔がすごくおばさんくさく見えてへこんだのよねー。肌とかさー」

「なーんだ、それでメシのときに変な突っかかり方してたのか」

紘司が笑った。

「基地のボロい便所で鏡なんか見たら誰でも老けて見えるって。ヘタすりゃ幽霊みたいに映るよ、気にすんな」

「でもね、お風呂のときにじっくり鏡を見たら、やっぱり肌衰えてるなーって。あなたに群がってる女の子たちなんかピチピチだし、あの子たちに比べたら、もうあたしおばさんだなーって」

「お前だってまだ二十代だろ」

「でもちょっと女を怠けすぎてたかなーって」

あなたになら勝てそう。そんなことを見も知らない女に言われるほど。

「その分、妻と母をがんばってくれてたろ。俺にとっちゃそれで充分」

紘司は公恵の頭をよしよしと撫《な》でた。

「でも自分でそんなに気になるんだったら、何かいい化粧品とか買えば？　すっごく高いブランド物とかは事前にちょっと相談してほしいけど」

「そんな家計を圧迫しそうな基礎化粧品、恐くて買えない。毎日使うし。子供にもお金がかかるようになってくるし、あなたもいつ大怪我してもおかしくない仕事だし、貯金するよ、そんなお金があったら」

「うわ、化粧品の高いのってそんなに高いのか！」

「お金かけようと思ったら天井知らずよ」

脅かすように追い討ちをかけると、紘司はやや逡巡《しゅんじゅん》する様子を見せながらも言った。

「……でも、公恵はもうちょっと自分のことに金使ってもいいと思うぞ」

ほろりと涙がこぼれて、紘司のほうを向いて俯《うつぶ》せていたのでその涙は鼻の上を横切って耳元に滑った。

「えっ、何で泣くの⁉　俺、感動させすぎた⁉」

おたおたしながらもやっぱりバカな紘司に、公恵は笑った。

「公恵って呼ばれたの久しぶり。ずっとママだったから」

女に戻れたような気がする、と呟くと、紘司は「何となくパパママになっちゃってたな。優太がいないときは名前で呼び合うように戻そうか」と答えた。

頷きながら、――やっぱりあの女のことを訊かなくてよかったと思った。

こんなにバカでお調子者の紘司に嘘なんかつけるわけがない。あの女とも何もあるわけがない。襟に仕込まれた妻へのメモにさえ気づかないほど無防備なのに、もし後ろめたさがあるのならあたしから隠せるわけがない。

――あんたが何を仕掛けてきても、あたしはあんたから家族を守る。

そう決意した九月の終わり。

しかし、その道のりは険しく厳しかった。

＊

四月から十二月のシーズン中に、ブルーインパルスは二十数回の飛行をこなす。

日本列島を北から南まで、もちろん出張で基地に帰投しない日も多い。

そして、紘司の襟から出てくるメモは、その飛行スケジュールをこなすごとに一枚ずつ増えていった。

紘司が決して気づくこともなく。

『今日も紘司さんは素敵でした』

『紘司さんのお話はとても楽しいです』

『次は浜松《はままつ》にご出張ですね』

『いつもお洗濯ご苦労様です』

何かを思わせずにはおかない巧妙な文章がアクロバット飛行のたびに増えていく。公恵はそれを一枚も捨てずに自分の下着の引き出しの中に溜《た》めていく。

紘司がこの女とどうにかなっているはずはない。自分に言い聞かせながら一枚一枚数は増える。

『今日は飛行中止でしたが、紘司さんに会えたので満足です』

その一枚が届いたときぞっとした。その日は朝から雨の予報で、ブルーのアクロバット飛行は予定されていたものの、中止になることは確実という日だった。帰ってきた紘司に訊くと、飛行を中止した代わりにブルーインパルス機を地上滑走させ、エンジンを噴かすこととサイン会を行うことでファンサービスに替えたという。

一体この女はどれほどブルーのツアーに張り付いているのか。飛ぼうが飛ぶまいが関係なく、すべてのスケジュールに現れる。その執念が恐ろしくて圧倒されそうになる。

この女がどこに住んでいるのか知らない、だが、飛ばないことが明らかに分かっているイベントさえキャンセルすることなく足繁く通う、その交通費もバカにならないだろう。

それもブルーのアクロではなく、紘司に一目会うそのためだけに。会える保証など何もないのに。

二人の間に何の関係もないとすれば、それは一体何という非現実的な話だろう。ただの一ファンの立場でそこまでできるとはとても思えない。自分ならどれほど入れ込んでいるアイドルや俳優がいてもそこまでできない。独身で自分の稼ぎが全部自由になるとしてもだ。

その現実的な感覚が、ともすれば紘司を信じる気持ちを揺るがす。

屋上を見上げた勝ったような笑みを思い出すたび、基地のトイレで見た自分の色褪《いろあ》せた顔も思い出す。

そもそもどうしてあの女は公恵を選んで見上げられたのか。紘司が教えたのではないかという疑いは押さえつけても押さえつけてもすぐに頭をもたげる。

公恵の知らないところで、二人で笑っているのではないか。華やかなあの女に比べて、あまりに生活感に溢《あふ》れて華のない自分を。

紘司が出先から帰らない日は、どうしても愚にもつかない――と自分ではもう言い切れない妄想が公恵を苦しめる。

『今日は私のために飛んだと言ってもらえました』

埒《らち》もない、と無視するには捨て置きならない文章だった。

紘司は家ではいつも公恵と優太のために飛んでいると言っている。どちらが嘘だ。もう、女のほうが嘘だと揺るぎなく信じられるほどの気力は残っていない。疑心暗鬼は一番心を弱らせる。色恋沙汰《ざた》の駆け引きは天才的に巧《うま》い女だということは思い知らされた。

これが『紘司さんと寝ました』だの、『奥さんとは別れると言ってくれました』だの、直球で浮気を示唆するような稚拙なメッセージだったらこれほど揺さぶられることはないのだ。

何かがあるともないとも断定できない、しかし何かを匂わすメッセージだからこそこれほど疲弊する。

紘司は家では相変わらず子煩悩で、バカで、お調子者だった。――公恵はそのいつもと変わらない様子を信じるしかない。

メッセージはフェイクだと。

しかし、ツアーシーズンが進むごとに、紘司の開けっぴろげなテンションについていくことがきつくなってきた。

女のかけてくる後ろ襟のプレッシャーと、紘司のハイなテンションの落差が激しすぎるのだ。

それもいつもお馴染《なじ》みのことだった。風呂上がりの紘司が居間にバスタオルを広げ、体の湿気が飛ぶまで素っ裸で寝っ転がっていることなど。

だが、その日はそのだらしなくも間抜けな姿が癇《かん》に障った。

優太を着替えさせながら、険のある声が口から飛び出していた。

「いい加減みっともないから着替えなさいよ」

荒げてはいないもののきつい声に、紘司は一瞬怪訝な顔をした。

それからことさらに大の字になり、わざと両手をじたばたさせる。

「ひどいー、ひどいー、ママがパパの風呂上がりのリラクゼーション権利を剥奪《はくだつ》するー」

「パンツも穿《は》かずに何がリラクゼーション権利よ、湯冷めするまえに着替えなさい！」

「子供じゃないんだからそんなこと心配される筋合いないだろ」

紘司の声もさすがに不愉快そうになった。だが、不快指数が跳ね上がったのはこちらのほうだ。

心配される筋合いない？　今、あんたあたしにそう言った？

「いつまでもだらしなくされてたら子供にも示しがつかないのよッ！　父親のくせに家にいたらふざけてばっかり、いい加減にしてよ！」

怒鳴った声に応《こた》えたのは、優太の泣き声だった。

公恵にパジャマのボタンをかけられながら、自分が怒られたように泣いている。

紘司が無言で立ってタンスに向かい、下着だけ穿いて戻ってきた。凍りついたように手が動かない公恵から優太を引き取り、ボタンをかけ終えてから抱き上げる。

「よーしよしよし、優太が泣くようなこと何にもないからな」

優太を抱っこする腕にあやすリズムをつけながら、紘司は公恵を見下ろした。

「母親がいきなりヒステリックに怒鳴るのは子供の教育上悪くないのか？　こんな些細《ささい》なこと、文句があるなら優太が寝てから言えばいいだろ」

最近変わったよ、お前。息苦しい。

紘司は率直にそう言って、優太を寝室に連れていった。

その後ろ姿を見ながら、涙がすうっと流れた。


息苦しい。


その一言が楔のように胸に刺さった。

……一体、誰のせいで、こんなあたしになったと思って——

紘司に向かいかけた怒りが寸前で正気を取り戻す。紘司のせいではなかった。

あの女の。

そしてあの女に案の定よく踊らされて「息苦しく」変わってしまったあたしの。

あたしはいつからそんなに息苦しかっただろう。紘司は家が苦痛な様子は見せなかった。

だがそれは我慢してそう見せていたのか、それとも。

この期に及んでそんな疑いの湧く自分に嫌気が差す。外であの女に安らげるからこの家を我慢できるのか。


紘司は優太を寝かしつけてから戻ってきて、戻ってきたときにはもう寝間着に着替えていたが、明らかに泣いた跡のある公恵と話そうとはしなかった。

*

いっそ、隊の他のメンバーに訊けたら。

当日帰投しないとき、うちの主人はちゃんと宿舎に泊まっていますか。

あるいは二時間とか三時間とか、リアルな時間の外出をしてはいませんか。

日本中うちの主人を追いかけ回しているあの女を他の皆さんはご存じなんですか。

だが、そんなことはとても訊けない。夫の浮気を疑うような質問をする妻であることが知れたら恥をかくのは紘司だ。

先日の気まずいいきさつはまるでなかったことのようになっている。紘司は相変わらず能天気かつお調子者のパパで夫だ。

優太がいないときには名前で呼び合おうと決めた約束も守ってくれている。そんな紘司への疑いを漏らしたら、取り返しのつかない何かが壊れそうな気がした。

瀬戸際で踏ん張っているところへ、メモはアクロのたびに一枚ずつ届く。


『失礼ですけど枯れ気味ですよね。紘司さんは満足してるのかしら？』


自分でも充分に気にしていること、そして、相手が充分に自信を持っているその部分を突かれ、その日ついに日頃の自分なら思いもつかないことに手を出した。

紘司と優太は風呂に入ったばかりだからしばらくは上がってこない。——そして紘司の携帯がダイニングテーブルの上に無造作に放ってあった。

携帯を開いたら、もう手が止まらなかった。電話帳と履歴とメールをチェックし終えるまで、指がまるで何かに操られているかのように動いた。

しかし、電話帳にも履歴にも怪しげな番号はなく、メールも公恵と交わしたものと隊で交わしたもの、友人、とにかく公恵がまったく知らない相手とのメールの痕跡《こんせき》はなかった。

やってしまった——後悔と後ろめたさが潮《しお》のように押し寄せる。

あの女の痕跡が見つからなかったことには安心したが、それ以上に紘司のプライベートを覗《のぞ》き見した自分への嫌悪が自分を打ちのめした。

テーブルに突っ伏して泣いているといつの間にそれほど時間が経ったのか、紘司と優太が風呂から上がってきた。

「おい、優太の着替え……」

優太を着替えさせるのは公恵の役目なので、公恵を捜しながらダイニングに来た紘司が焦ったように「公恵！」と声を上げた。

「どうしたんだよ、おい！」

「ママ、痛い？」

優太もやってきて心配そうな声を上げる。

「そうだな、だから優太は早くパパと着替えような」

公恵にちょっと待ってろよと言い残し、紘司は普段からは想像もつかないほどてきぱき優太と自分の着替えを済ませ、優太を寝室に連れていった。

「どうしたんだよ、なあ」

静かに泣き続けるばかりで口を開かない公恵に、紘司は気遣わしげな声を何度もかけた。

「何でもない」

「何でもないって態度じゃないだろ」

気遣われたら気遣われるほど言えない、黙ってあなたの携帯を盗み見ましたなんて。

浮気の痕跡はなかった代わりに、公恵から紘司を裏切った。紘司を信じ切れなかった。

それを知ったら紘司は怒るだろうか、悲しむだろうか。

「具合が悪いんじゃないんだな？」

「具合は大丈夫、だから一人にして」

「この状態で一人にしてとか言われてもさぁ。お前、最近ホントに変だしさ。何か悩みがあるなら言ってくれよ。俺たち夫婦だろ」

紘司は根気強く優しい言葉をかけてくれたが、公恵は頑として口を割らず、一緒に休むということで妥協して布団に入った。

＊

それからしばらくして、隣の官舎の高島家から潤子が子供連れで訪ねてきた。

昼下がりの訪問は、家事が一段落するタイミングを読んだものだったが、今の公恵には応対するのが重かった。

「ごめんなさい、今日はちょっと……」

断りの文句を口に乗せかけた公恵の先を制するように、潤子がするりと長男を部屋へと滑り込ませた。奥で優太とはしゃぐ声がしはじめる。

「そう言わないで、お土産もあるのよ」

言いつつ潤子は近所のケーキ屋のケーキボックスとDVDを出した。

「DVDは特製よ、アンパンマンの六時間CMカット録《と》り溜《だ》め。流してる間は子供たちも静かにしてること請け合いよ」

この年頃の子供がアンパンマンを好きなことといったらちょっと麻薬的なものがあり、同じ話でも飽きることなく何度でも観たがる。

高島家では逆手にとって、子供たちをおとなしくさせたいとき用の編集DVDを作ったようだ。

「それからこれは駄目押し、相田一尉に頼まれたの。あなたが最近悩んでるみたいだから相談に乗ってやってくれって」

無警戒だった側面をくすぐられ、公恵は思わず潤子の肩にすがりついた。

「——彼がブルーになんか入らなかったらよかったのに……！」

呟きはもう嗚咽《おえつ》にまみれていた。

潤子は勝手知ったる様子で相田家のテレビを操作し、特製のＤＶＤをセットした。

「ほら、アンパンマンがいっぱいよ。二人で観ててね、テレビに近づきすぎちゃだめよ」

「ママ、おやつは⁉」

「おこたのうえに載ってる分は全部食べていいわよ、二人とも自分の前に置いてある分を食べてね。同じ数だけ置いてあるから取り合わないのよ」

子供はコタツのほうにセッティングし、女二人はダイニングである。優太はダイニングですでに泣いている公恵を少し気にしていたが、アンパンマンが始まるとやがて釘付《くぎづ》けになった。

「相田一尉がね、随分前からあなたが一人で悩んでるみたいだって」

潤子に水を向けられて、公恵は「ちょっと待ってて」と席を立った。

向かったのはタンスである。決めた引き出しに溜め込んであったメモを全部持ってきて潤子に見せた。

ジップロックに溜めたそのメモを見て、潤子は眉《まゆ》をひそめた。

「これ……」

「一番最初がこれ、カッとなって握り潰しちゃったんだけど」

忘れもしない、『あなたにだったら、勝てそう』。

潤子は全部見るまでもなく顔を上げた。

「ねえ、これ、ブルーの制服の後ろ襟に入ってたでしょう」

今度はこちらが驚く番だ。声もない公恵に、潤子は種明かしをするように言った。

「去年はうちだったのよ」

「……どういうこと？」

「あたしは本人を知らないんだけどね、何かそこそこの美人で、ブルーのマニアみたいになってる女がいるのよ」

「そんなのいっぱいいるじゃない」

「その女はレベルが違うのよ。ちょっとやばい方向に」

潤子は子供たちに聞かせたくないのか声を潜めた。

「代々の隊員にも有名よ。絶対ブルーの隊員と付き合って結婚するんだって決め込んでるらしくて、新隊員が入ってくるたびにコナかけるんだって。美人だからうっかりメルアド交換してえらい目に遭った隊員もいるらしいわ、一種のストーカーみたいなもんだから」

分かるでしょ、と潤子は公恵が保存していたメモを指差した。

確かにストーカーの気質は充分ありそうな女で、だからこそ公恵もこの不愉快なメモをずっと保存していたのだ。

「で、気に入ると結婚してってもお構いなし。去年狙われたのがうちのパパってわけ。うちのパパが結婚してるからって断ったら、途端に後ろ襟攻撃が始まったのよ。あたしも散々挑発されたわ」

「潤子さん、メモ見つけたときどうした？」

「どうしたもこうしたも、パパにすぐ見せたわよ。二人で『うわ気持ち悪っ』て大騒ぎ。何枚か溜まったところでパパからその女に直接、礼儀正しくお返ししてもらったわ」

あなたもすぐ旦那《だんな》さんに見せればよかったのに、と潤子に言われ、公恵はまばたきした。どうしてあたしも同じようにしなかったんだろう？　こんなの入れられてたよ。うわっ気持ち悪い！　うちもそんなふうになりそうなものだったのに。

だがすぐにそうできなかった理由を思い出した。

「あたし見られたのよ、その人に」

女性ファンに囲まれる紘司。

そしてその女性ファンの中から一人、屋上を見上げて過《あやま》たず公恵と目を合わせ、勝ったように微笑んだあの女。

「それで、最初の一枚目がそれでしょ。向こうはあたしのことを知ってるんだと思って、身動き取れなくなっちゃった」

せっかくの心尽くしのケーキが、口の中で砂のようになった。

「最初は宣戦布告だと思ってカッとしたんだけど、頭が冷えると不安になって」

あのとき感じた不安をなぞるように話す。

「紘司はこの人のこと知ってるのかしらって。男と女の関係じゃなくても、知り合いとか友達の位置を確保してて、それを足がかりにあたしを蹴落《けお》としにきたんじゃないかしらって」

公恵は俯《うつむ》いて顔を覆った。

「メモのことを訊こうにも、問い詰めるような感じになっちゃうんじゃないかって恐くて。紘司が疑われたことを怒って夫婦関係が悪くなったところに付け込まれたらどうしよう、とか」

メモを一枚一枚見返していた潤子が労《いたわ》るように声をかけた。

「向こうは知ってるのにこっちは知らないんじゃ、そりゃ恐いわよね。分かるわ。あたしだって美人だって話を聞いただけで実際に相手を見たことなんかないし、相手もあたしの顔なんか知らないはずだし。一方的にこっちのこと知られてて、そのうえ結婚してるのにこんなメモ忍ばされたら、そりゃあ恐いわよ」

「それも毎回よ。ブルーが飛ばなかった日まで全部追いかけてるのよ、この人。そこまでできるのは何か関係があるからじゃないかって余計に紘司を疑ってヒステリックになって。最後なんか紘司の携帯まで見ちゃったのよ、あたし」

仕方ないわよ、と潤子が痛ましそうに笑う。

「そこまで追い詰められたらあたしでも見るわ、きっと。こんな気持ちの悪い女、本当は紘司さんが恐がったり対処したりするはずだったのよ。あなたが代わりにずーっと一人で引き受けてたんだから。それに、あなたは紘司さんを疑ったんじゃなくて、不安だったのよ」

不安だったんでしょう？　ではなく、不安だったのよ。その断定口調に少し救われる。潤子のこうした強さは羨《うらや》ましい。

「このメモも卑怯《ひきよう》な書き方よね。『今日は飛行中止でしたが、紘司さんに会えたので満足です』……個人的に会えたなんて一言も書いてないわ。他のもそうよ」

潤子は忌々しそうにメモを睨《にら》みながら繰った。

「思わせぶりに書いてあるだけで、冷静に見たらぜんぶ観察結果だけよ。紘司さんは今日も素敵でした、とかそりゃ現在進行形で熱上げてるブルー隊員ならいつでも素敵に見えるでしょうよ。出張予定だってここまでのマニアだったら年間のツアースケジュールくらい把握してるわ」

これなんかあざとくて吐き気がするわ、と吐き捨てながら潤子が抜いたメモは、

『今日は私のために飛んだと言ってもらえました』

公恵が大きく揺らいだメモだ。

「状況、再現してあげましょうか。いつもみたいにファンの中に混じって、ちょっと強引に質問を投げるのよ。『いつも誰のために飛んでらっしゃるんですか？』なんてかわいこぶってね。ブルー隊員は全員が自衛隊の広報官も同然よ、『いつもファンの皆さんのために飛んでいます』って答えるに決まってるじゃないの。『ファンの皆さん』の中にはその女も含まれるから『私』って書いても嘘じゃない、そんなところよ」

第三者が見たらこんなにもたやすくもつれた糸は解《ほど》けるのか。確かに紘司を疑うよりもずっと納得できる。

「今からでも紘司さんに相談してごらんなさい。絶対、悪いようにはならないから。保証するわ」

潤子の後押しに公恵も頷いた。

それにしても、と潤子はからかうような笑みを浮かべた。

「全然心配ないくらい夫婦円満じゃない？　未《いま》だに旦那のこと名前で呼べるなんて」

話している間は必死だったので、紘司のことを名前で呼んでいる意識はなかった。途中から潤子が相田一尉ではなく紘司さんと呼んでいたことも。

頬を赤くした公恵に、潤子はあーあと大きく伸びをした。

「いいなぁ。うちもちょっと真似してみようかしら」

＊

その日、優太が眠ってから今まで溜めてきたメモを紘司に全部見せた。嫌な話題だからせめて温かく落ち着くコタツの居間で。

そしてがっちり怒られた。

「何でこんなもん、すぐに相談しなかったんだよ⁉　何かされてたらどうする気だったんだ⁉　うちには子供もいるんだぞ！　うわっ、気持ち悪い！　寒い寒い寒い！」

一刀両断でメモを次々繰っていく紘司。

「でも、その人あたしの顔を知ってたんだもの」

それを言うと、紘司は反射でばつの悪そうな顔になった。どうやら紘司のほうにも過失はありそうで、後はケンカにならないように今まで相談できなかったことや、携帯を見てしまったことを謝る。昼間、潤子に一度聞いてもらっていたので落ち着いて話せた。

「どうしてあの人があたしの顔を知ってたかはあなたに説明してもらえそうね」

話を返すと、紘司は観念したように首を落とした。

「……俺がキューピッドを失敗したとき」

矢の大役を果たすということで、公恵もその基地に呼ばれていた。矢を外した失敗が逆に女性ファンの心を鷲掴《わしづか》みにした記念すべき日である。

サイン会が終わってからも紘司はファンに囲まれて、そのとき軽い貧血を起こしていた公恵は少し離れた救護所からその様子を見ていた。

「あの美人のことは先輩からもよく聞いてたんだよ。で、俺のところに来てすごく積極的に押してきて最後まで粘られてさ。恋人がいるかどうか訊いてきたからやばいと思って、結婚してますって言ったんだよ。でもなかなか信じてくれなくて、『あそこにいるのが僕の奥さんです』ってお前に手ぇ振っちゃったんだよな」

そのときのことなら覚えている。ファンの団子がかなり捌《は》けた頃だ。急に紘司が救護所を振り返って手を振ったので、手を振り返した。

「何で結婚指輪見せなかったのよ」

「一回グローブ外した拍子でどっかに飛んでったことがあって、大騒ぎして探したことがあったんだよ。それから飛行のときはロッカーに置いてあるんだ」

だから結婚してるって言ってもなかなか信じてもらえなかったんだ、と紘司はぼやいた。

そこへ公恵の姿を見つけて渡りに船と「あれが妻です」とやってしまったという。

「そんで彼女、お前のことをしばらくじっと見てたんだけど、また俺のほう向いて『でもずっとファンでいてもいいですか？』って言うから、それは……」

駄目だとは言えない。ブルー隊員として言えるわけがない。

思い切って蓋《ふた》を開けてみたら、何て呆気《あっけ》ない結末だろう。

「まさかそのとき顔覚えて、お前にこんなことしてたなんて……」

ていうか毎回後ろ襟にそんな紙忍ばされてたなんて、と紘司は気味悪そうに首を竦《すく》めた。

「全然気がつかなかった」

「こんな薄い紙だもの、巧《うま》く捌《さば》けばカミソリの刃みたいなものよ。あたしでも気づかれずに忍ばせる自信あるわ」

「でもお前は気がついたんだな」

台詞の意味を量りかねて首を傾げると、紘司が笑った。

「俺だったら気づかずにそのまま洗濯機回しちゃいそう。そんで洗濯もの紙クズだらけにして、うわー、何かポケットに入れてたっけ？　とか思って納得しそうだけど……お前は最初のメモから気がつくくらい、俺の制服を丁寧に洗ってくれてるんだなって」

「……当たり前じゃないの、ブルーの隊員が薄汚れた制服なんか着てるわけにはいかないでしょ」

「ありがとな。それにこのメモも」

紘司が悪意を忍ばせた一枚一枚をもう一度見直す。

「こんな恐くて気味の悪いもん、ずっと一人で我慢してくれてたんだよな。おかげで俺、今まで家のこと何にも心配しないで飛ぶことに集中できたよ。お前がカリカリしてるのもただの育児疲れだろうなんて思っててさ。そんで潤子さんに話聞いてやってよ、なんて」

どこまでも人の好《い》い紘司の労りが、心を温めながら後ろめたさも同時に膨らませる。

——違うのよ。

「あなたのために我慢してたんじゃない。あたしが不安だったからよ。だって、あの人はあたしに勝ったように笑ってこんなメッセージを寄越せるほど美人で、あたしはあの人にあなたを盗《と》られるんじゃないかって不安だったのよ。あの人があなたに横恋慕してることを相談するのが恐いほどあたしは自分に自信がなかったの。もし相談したとして、あなたがきれいなほうに乗り換えたらどうしようって」

失礼ですけど枯れ気味ですよね。紘司さんは満足してるのかしら？

そんな失礼な言い草にも反論できないほどあたしは所帯じみて年を取ったのに、

「あなたはいつも若くてきれいな女の子に囲まれてるんだもの」

ずっとその若くてきれいな女の子たちに嫉妬《しっと》していた。でもその男はあたしの亭主よ、そこだけが気持ちの砦《とりで》。

その砦を崩そうとする「若くてきれいな女の子」が現れたのだ。漠然とした嫉妬の対象が一人に凝縮されて実体となって現れる、その不安感といったら！

「所帯じみてて何が悪いんだよ、俺と所帯持ってんのに」

紘司が憤然と弁護してくれるが、それでも自分が枯れているという蔑《さげす》みには到底無心でいられない。

「しっかりしてくれよ。キレイに化粧してオシャレする女の子がよかったら、最初っからそんな子にしてるよ」

紘司が公恵を引き寄せて、抱きしめた。そんなふうにされるのは付き合っていた頃と、結婚して優太が生まれるまでだった。

「俺が好きになったお前は、化粧っ気ひとつなくて、機械油にまみれて毎日俺のF—15を整備してくれてたお前だよ。どんな機体を整備するときも手を抜かなくて、暇さえあればリベット打ちの練習して」

小松の工作班にいた頃の話だ。今でもいい飛行をする機体を見かけると血が騒ぐ。松島航空祭で巨体の翼を振りながら上昇していったC—1を見たときのように。

いい飛行をする機体の陰には、必ずいい整備士たちがいると知っているから。

自分もかつてはその一員だったという自負があるから。

「俺たちは機体に命を預けて飛ぶんだ。その機体を引き受けてくれる整備にも、当然命を預けてるんだ。俺はお前に命を預けて飛んでたんだぞ。キレイにオシャレした女の子じゃない。機械油に塗《まみ》れたお前のほうが俺にはずっとキレイだったし、俺はずっとお前のことが好きだったよ」

いつも紘司に群がっている女性ファンは絶対信じないだろう、告白は紘司からだった。

防大出のイーグルドライバー、それこそ前途は洋々で女も選び放題だったはずだ。

その選択肢の中に自分が入っていたことは、実は公恵が一番意外だった。それも自分が選ばれるなんて。

公恵は高卒で入隊した叩き上げで、その頃やっと三曹になったばかりだった。防大出の五つも年上のエリートに告白されるなんて自分でも信じられなくて、最初の三回くらいはからかうのはやめてくださいと頑《かたく》なに断り続けた。

真面目に付き合いたいから君なんだ、と紘司は食い下がった。俺が命を預けられるような整備をしてくれる君だから付き合いたいんだ。

そのとき落ちた。真面目に付き合って、結婚までいくのだろうなという予感は当たった。

整備の腕を認められたのは誇らしかった。だが女性としての魅力で見出《みいだ》されたわけではないのだという軽い失望はやっぱりあって、自衛官を辞めた今となっては紘司に選ばれた拠《よ》り所も失われた。

もう、あたしは紘司が認めてくれるような整備士じゃない。

「勘弁してよ、整備の腕だけ好きになったわけじゃないよ」

紘司が困ったように頭を掻《か》いた。

「いい整備する子がいるなと思ったのがきっかけだったのはホントだよ。でも、それだけで結婚までいくわけないだろ」

じゃあどこで好きになったの。

「爪」

紘司は仏頂面で答えた。

「爪がいつも機械油で真っ黒だったのに、次の日の朝になると爪がちゃんと白くなってるんだよな。男はそのまま真っ黒に油が染みついた爪になっていくんだけど、お前は朝一番にはちゃんと白い爪に戻ってた。油が染みつかないように、毎日風呂で指先までキレイに洗ってるんだろうなって。どうせまた次の日は真っ黒になるのに。そんなところはちゃんと女の子なんだなって気がついて、すごくかわいかった。いっこ気づくと後はいくらでも見つかるよ」

もしお前と結婚してなくても、ブルー隊員だからとかイーグルドライバーだからとか、そんな理由で俺を好きだっていう子とは付き合わないよ。紘司はそう言って、「ましてやこの女なんて」と苦い顔をした。

「こんな職業だから、もしものときに家を任せられる女じゃないと結婚なんかできないよ。ファンですって言ってくれる女の子たちの中にも隊員との出会いはあるかもしれないけど、結婚してる隊員の妻にこんなことをしてくるような女に地上のことを任せて飛ぶなんて、少なくとも俺には考えられない」

そもそもお前と結婚してない俺なんか、俺が自分で一番想像できないよ。

そう言って紘司は恋人の頃のように公恵の髪を撫でた。

「……次の飛行で、キューピッドの矢を再挑戦させてもらえることになったんだ」

デビュー早々に大外れして、それが図らずも女性ファンを増やした例の曲技だ。

「新田原《にゅうたばる》なんだけど、公恵に来てほしいんだ。いいかな」

公恵は頷いて、「優太はうちの両親に来てもらって預かってもらうね」と付け足した。

公恵の両親は同じ宮城に住んでいるので来てもらいやすい。

紘司も「そうだな、優太を連れていくのはちょっと大変だもんな」と頷いたが、本当は優太を連れていけないわけではない。

敢《あ》えて一人で行こうと思った。

「お前のために飛ぶから。見ててくれよ」

「今度は失敗なんかしないでね」

「分かってるよ」

拗《す》ねたように唇を尖《とが》らせた紘司が、広げてあったメモを手荒くまとめてジップロックに突っ込みはじめた。

「どうするの、それ」

「新田原で俺が直接返してくるよ」

「あ、だめ」

公恵はメモを紘司から取り上げた。

「明日、警察に相談の届けを出してくるから。何かしてくるとは思わないけど、一応ね。これだけ証拠のメモがあったらちゃんと話も聞いてもらえると思うし」

もしも、あの女の思わせぶりなメッセージに根拠があったら――公恵を追い詰めていたお化けはもう消えた。

そうと分かった以上は現実的に事を運ぶまでだ。警察に相談の記録を残しておけばいざというときに何とでも対処できる。

「しっかりしてるなぁ、公恵は。やっぱり安心して家を預けられるよ」

公恵は何も言わずに笑った。

しっかりしていると誉められることは妻として誇りに思う。紘司が地上の全てを公恵に預けて飛んでくれるならなおさら。

でも、それだけであの女を許してやれるほど甘い自分ではないことを思い出した。

自衛官上がりの女がどれほどのものか――とくと見てもらおうじゃないの。

＊

直前まで紘司は新田原の天候を気にしていたが、当日はよく晴れた。

アクロバットが可能な天候でも、曇りで雲が低かったら水平方向の曲技しかできない。高度のある演技は雲の上に飛び出してしまって地上から見えなくなるからだ。スモークも雲にまぎれて効果半減。バーティカル・キューピッドは高度を使う「描き物」曲技なので、実施は天候条件に大きく左右される。

雲一つない、と言ってもいいほどの晴天だった。

会場に水平編隊で進入してきた二機が垂直上昇を途中で分離させて抜けるようなブルーを背景に大きなハートを描く。

ここまではベテラン機だから問題ない。以前、紘司がすっぽ抜けたときもそうだった。

家族用の観覧席で固唾《かたず》を呑《の》みつつ公恵が見守る中、仕上げの矢は――紘司の四番機は、ハートの芯《しん》を連続反転《スクリュー》で貫いた。

以前は地上から上がった笑い声が、今日は歓声になった。

その賞賛の歓声を聞きながら、公恵は極限まで高まった動悸《どうき》が鎮まっていくのを感じた。

おめでとう。

公恵は会場を一時離脱していく紘司の機を目が追える限界まで追った。

やがてすべての曲技を終えたブルーインパルスが着陸する。

本当なら一番に駆け寄って抱きつきたい。おめでとう、よかったねと叫びたい。だが、この後隊員はユニフォームに着替えてファンサービスの予定だ。ブルーのユニフォームを着ている間はブルー隊員はファンのものだ。

さて、と。

公恵は家族席から出て救護所へ向かった。

救護所の前で三十分も待っていると、待ち人はきた。

後ろ襟の彼女である。仕掛けるのは慣れていても、仕掛けられるほうは慣れていないのだろう。一度見ただけの記憶に違《たが》わず美人だったが顔色は少し青かった。それともツアーシーズンも終わりかけの冬、九州とはいえ冷たい風が寒いのだろうか。

彼女はいつものように紘司の後ろ襟にメモを仕込もうとしただろう。だが、そこには先に公恵の忍ばせたメモがあったはずだ。

『ブルー飛行後、救護所前にて待つ』

仕掛けた公恵のメモはそれだけだ。

敵意の籠もった視線で公恵を窺《うかが》う彼女に、公恵はまず用件から述べた。

「今まで、たくさんお手紙くださってありがとう。主人と話し合って、警察に全部持っていって相談してきたわ」

女の血の気が引いた。

「あ……あたしはメモを書いただけよ」

「ええ。だからあたしたちも相談記録を残してきただけよ」

「ファンからのメッセージを警察に持っていくなんて……！」

「明らかに紘司宛てじゃない内容だったわよね？　ファンからのメッセージとは認められないって判断されるそうよ」

心配しないで、と公恵はせいぜい優しく笑った。

「あたしたちはあなたの名前も知らないわ。あなたがこれ以上おかしな真似をしなかったら、警察に念のための相談記録が一つ残るだけよ」

それでチャラにしてやろう、と言っている公恵の意図が通じないほど馬鹿ではないようだった。口の中でぶつぶつ言いながらも、正面切って諍《いさか》おうとはしてこない。

「一つ訊いていい？」

女に拒否権はない。それを分かったうえで投げる質問だ。

「どうして紘司だったの？」

「かっこよかったし……」

女が渋々答える。

「キューピッドを失敗したのがかわいかったから」

ああ、やっぱり。他の女の子たちと、きっかけ自体は変わらないのだ。ただ、現実での歯止めが利かないだけで。

「幸せね、あれをかわいいと思えるなんて」

公恵の苦笑を馬鹿にされたと捉《とら》えたらしい。女の目の色が変わった。

「どういう意味よ」

「他人ならではの感想ってことよ。家族や恋人ならとてもそんなこと思えないわ」

知らないということは幸せだ。

矢を外した紘司は地上に笑いをもたらし、女性ファンの母性本能を大いに刺激した。

だが、隊や本人、その家族にとっては笑い事ではない。

予定の軌道を外れたということは一瞬であろうとパイロットが完全に機位を見失ったということであり、事故に繋がってもおかしくはなかった。

軌道が外れた瞬間、公恵は家族席で悲鳴を上げた。コントロールを失った機の姿を想像して、しかし目は必死に見開いて紘司の機を探した。

最悪の想像は実現せず、紘司はすっぽ抜けた上空で機体を立て直して既に会場空域から離脱していた。

「あなたが私の顔を覚えた日、どうして私が救護所にいたと思う？　予定の軌道を外れた紘司が事故を起こすんじゃないか心配で貧血を起こしたのよ。紘司もファンの前では元気に振る舞ってたけど、本気で落ち込んでたし、デブリーフィングでも飛行隊長から厳しく叱責《しっせき》されたわ」

かわいいなんて言えるようなことじゃないのよ、当事者にとってはね。

当事者という言葉を強調することで、ことさらに女が他人であることを強調する。

「ましてや、それが盗《と》ろうと思ったきっかけなんて。何も知らないのね、ブルーのことも航空機のことも」

自然と漏れた公恵の失笑にプライドが傷つけられたのか、女が俯いて肩を震わせた。

「──自惚《うぬぼ》れないでよね。ちょっと引っかかったら面白いと思った程度よ、あんたの亭主なんか」

その捨て台詞が負けを認めている。女は踵《きびす》を返してそこから立ち去った。

それと入れ違うように駆けてきたのは紘司だ。

「公恵！」

「え、ファンサービスもう終わったの？」

戸惑いながら迎えた公恵に、紘司は息を切らしながら答えた。

「あの女が来て、背中側に回ったからさ。後ろ襟を探ったんだけど、何も入ってなくて、あれっと思ったらここでお前と立ってたから。慌てて抜けてきた」

大丈夫だったか？　気遣わしげに尋ねる紘司に、公恵は余裕綽々《しやくしやく》で笑って見せた。

「その台詞が要るのは多分彼女のほうよ。それより、成功おめでとう」

矢の成功を祝福すると、紘司が嬉《うれ》しそうに笑った。

「今日は貧血起こさせずに済んだな」

「かっこよかったよ。優太も連れてきて見せてあげたかった」

本当はあの女との対決を意識してわざと留守番にしたのだが。子供の教育上、見せたくはない争いだった。

「ありがとな」

紘司がそっと公恵の手を握った。

「あの女と決着つけてくれたんだろ。優太を連れてこなかったのも」

気づいているとは思わなかったので驚いて顔を上げると、紘司は苦笑を浮かべた。

「それも気がつかないほどお調子じゃないよ。ごめんな、やな役させて」

「……仕方ないよ、紘司はブルーインパルスだもん」

涙が幾粒か――本当に二、三粒だけ零《こぼ》れた。

「どんなに鬱陶しいファンでも、直接ブルーの隊員が邪険にするわけにはいかないもん。ブルーは自衛隊の顔だもん」

「……今お前、めちゃくちゃかわいい」

ぎゅっと体が締めつけられたと思ったら、紘司が一瞬だけ抱きしめて離していた。

キャアーっとファンサービスの現場のほうから黄色い悲鳴が上がる。

「気をつけて帰れよ。俺も明日帰るから」

そう言い残して紘司はまたメンバーのほうへ駆け戻っていった。


その後、紘司の女性人気は更に上がったらしい。

救護所の前で一瞬公恵を抱きしめたところをファンが見ていたらしく、相手が誰なのか騒然となったところを飛行隊長が公恵の素性を説明し、「愛妻家の相田くん」という付加価値がついて真っ当なファンの間で好感度が上がったという。

奥さんのことを訊かれて照れるのがまたかわいい、という理屈のようだ。

紘司のブルーインパルスの任期は来年度を残すのみだが、やはりブルーを離れるまでは隊員の妻は「夫がモテて困るんです」ということになってしまうらしい。

それでも、あの女のように質《たち》の悪いファンでなければ大歓迎だ——と公恵は最後の一年を開き直ることにした。

Fin.

秘め事

Intimate Secret

上官に言えない秘密が一つある。

＊　　＊

陸上自衛隊で航空部隊が有名な駐屯地といえば明野《あけの》駐屯地だ。中部方面隊第十師団第十飛行隊が所属し、陸上自衛隊航空学校の本校があることでも知られる。

また、空自のブルーインパルスに知名度こそ及ばないものの、航空学校教官による難度の高い技を繰り出す『明野レインボー』という回転翼機アクロバットチームがあることも知る人ぞ知る話である。

この明野駐屯地第十飛行隊に所属する手島岳彦《てしまたけひこ》二尉は、UH60JAのパイロットである。空自の航空徽章《きしょう》ほど派手ではないが、盾と桜花を組み合わせて翼を付けた陸自の航空徽章を手島も胸に着けている。

この手島の上官、第十飛行隊隊長は水田章介《みずたしょうすけ》三佐という。

そして手島が二年前から付き合っている彼女の名前も、水田有季《ゆき》という。

——話せば長くなることながら。

＊

「手島、お前いまカノジョとか決まった相手はいるのか？」

訓練後にいきなりそう訊《き》いてきたのは水田だった。手島がまだ二十五歳、三尉の頃の話である。

「いえ、あの……」

同期仲間に比べてやや背が低い、とは言っても一七〇㎝はクリアしているし、顔立ちも階級も仲間とそれほど差があると思えないのに、何故か合コンやナンパで連敗続きだった手島としては、とっさに口籠《くちご》もるしかない質問だった。

「いや、宮崎《みやざき》に聞いてお前にカノジョがいないのは知ってるんだがな」

ああ、チクショー宮崎め、と内心で手島は毒づいた。宮崎は同期の中で一番のモテ系で、常に女が途切れたことがない。

それも毎回自分好みのロリ系美人ばかり釣っていくのだから、仲間内でもやっかまれる存在だった。しかし情報通で、合コン後の脈などはいち早く探ってきてくれるので重宝な存在でもある。

だが、それは同時に仲間内の恋愛地図はほとんど全て宮崎に把握されているということでもあり、手島は中でも長らく独り者と記憶されているということでもある。上官に探りなどを入れられるとそこの辺りは具合が悪い。

「はあ……残念ながら」

ややふて腐れながら頷《うなず》くと、水田は「それはよかった！」と満面の笑みを浮かべた。

「ちょっ、待っ、何が『よかった』なんですかっ！　たとえ上官でも殺意を浮かべていいですか俺⁉」

思わず手島が食ってかかると、水田はやっと自分の発言の無神経さに気づいたらしい。

「いやぁ悪い悪い。実はちょっと頼みたいことがあってな。独り者の男が一匹欲しかったんだよ」

「匹って！　せめて数え方くらいは人間並にしてくださいよ！」

手島の抗議を水田は特技の聞こえない振りで流し、勝手に本題に入った。

「うちの娘の友達でなぁ、自衛隊がとにかく好きって変わった女の子がいるんだよ。で、自衛官の彼氏が欲しいらしくて娘が紹介を頼まれてな」

なるほど、事情が読めた。

「プチお見合いみたいなもんですか」

「そうそう、そのくらいの気軽な感じでな。まあ、会ってみてお互い気が合ったらくらいのもんで。何とか頼まれてくれんか。なかなか美人だぞ、その友達も」

も、と付けたということは娘も当然そうだという前提だろう。部下の前では鬼の上官も娘には何かと甘いらしい。

「どうせ今フリーですし構わないっちゃ構いませんけど……何で俺なんですか」

「娘の友達に会わせるならいい加減な奴を引っ張り出すわけにはいかんだろう。娘が恥をかかん程度にそこそこの物件じゃないとな」

物件とかまた。不動産か俺らは、といじけていると、水田は付け加えて言った。

「最後の決め手は宮崎の薦めかな」

「は？」

宮崎にお薦め扱いされる見当がつかないので怪訝《けげん》な顔になる。

「娘さんのお友達に紹介するんなら真面目な奴じゃないと困るでしょう、ってな。手島は真面目だから合コンとかナンパとか短期決戦じゃ自分のいいところを出し切れないけど、誠実でいい奴ですから、だそうだ」

宮崎、さっきチクショーとか思ってごめん。と内心で手島は宮崎を拝んだ。

女の子に振られる度に宮崎にはからかわれてばかりだったが、陰でそんなことを言ってくれていたとは。

取《と》り敢《あ》えず、お互い会ってみるだけ。というところで話はまとまった。

場所は水田の娘の友達の強い希望で休日に駐屯地の案内。水田の娘が一応の付き添いで一緒に来ることになった。

最寄の近鉄山田線明野駅《きんてつやまだ》までは二人で来てもらい、駅までは手島が迎えに行った。

「キャ――――――――――ッ！」

車で歓声を上げたのが友達のほうだとすぐに分かった。自衛隊マニアなら嬉《うれ》しかろうと、幌《ほろ》を張った小型トラックの乗り出し許可をもらってきたのである。

友達のほうは確かに人目を引く美人だった。対して水田の娘はややおとなしめというか、水田が『友達もなかなか美人だぞ』というのは多少娘びいきが入った発言だと分かった。どちらが美人か決を採ったら票が入るのは友達のほうだろう。

「これ、シャーシはパジェロと同タイプの奴ですか⁉」

おっと、と思わず友達のその発言に身構える。

自衛隊で採用されている小型トラックには旧型のジープとパジェロのシャーシをベースにした新型があり、単にパジェロと同型というだけでなく、シャーシがどうこうの発言が出てくる時点でこの友達はよほどのマニアだ。

「朱美《あけみ》ちゃん、先にご挨拶《あいさつ》しないと」

水田の娘が朱美と呼んだ友達の袖《そで》を引く。

「あっ、すみません！　あたし森島《もりしま》朱美です！　今日はよろしくお願いします！」

はっきりとよく通るその声で、てきぱきした性格まで伝わるようだった。その横で水田の娘が遠慮がちにお辞儀する。

「水田有季です、父がいつもお世話になってます」

「いや、お世話なんてそんな！　僕らがいつもお世話になってるほうで！」

泡を食っている間に朱美は小型トラックの助手席に駆け寄っている。

「ねー有季、あたし助手席座っていいー？」

「手島さんがよかったらね。で、あの、朱美ちゃん」

朱美を呼んで注意を引いた有季は、手のひらを上にして手島を示した。

「こちら、今日ご案内してくださる……」

有季が糸口を作ってくれて、泡食ってすっぽ抜けていた自己紹介がようやくできた。

「手島岳彦三尉です、よろしくお願いします」

「わー、三尉なんですか⁉　すごーい！」

……うーん、何だか。

手島は握手を求める朱美に応じながら苦笑した。

俺じゃなくてもよかったような気がしてきたぞ。

車に乗り込む前のわずかな隙に、有季が手島の気持ちを読んだように囁《ささや》いた。

だし」

「すみません、ちょっと変わってるけど悪い子じゃないので……ホントに自衛隊のファン

よろしくお願いします、と小さく会釈。

活発で自分の興味に忠実な女の子と、それに振り回されているように見えながら要所で締めている控えめな女の子。そういう組み合わせの友達らしい。

「いえ、自衛隊にこれほど好意を見せてくださる方は珍しいので嬉しいですよ」

手島も水田親子の顔を立て、そう答えて笑った。

駐屯地に着いてからというもの、朱美のはしゃぎっぷりは最高潮に達していた。目敏《めざと》く装備品を見つけては駆け寄ってデジカメのシャッターを切る。最初は有季の顔を立ててか手島が歩いて追い着くのを待って手島を質問攻めにしていたが、そのうちまどろっこしくなったらしい。近くで作業したり通りがかった隊員を摑《つか》まえて話し込むようになった。物怖《ものお》じしない美人に声をかけられて嬉しくない隊員などそういない。朱美のテンションに釣られて手島と話すよりよほど盛り上がっている。

かといって、手島も上官の娘を朱美のペースに合わせて走らせるわけにもいかず、何となく監督役で後ろからついていく形になった。何しろ朱美は一緒に歩いていても何か興味のあるものを見つけたら残りの二人を置いていきなりダッシュだ。

しかも――

「いや、速いですね彼女」

手島は感心して走っていく朱美の後ろ姿を見送った。ついていくのは既に放棄している。速いとはいえ素人女子で手島が追い着くのは余裕だが、有季が余裕ではなかったのである。

「もう、朱美ちゃんったら」

有季の息が上がっているのは最初のダッシュの何本かを追いすがろうとした余韻だ。

「すみません、せっかく手島さんにご案内お願いしてるのに」

「構いませんよ、楽しいですし」

「そうですか？　だってせっかくの週末……」

「どうせ隊舎でごろごろしてるだけですから。女性を二人も連れて形だけでも両手に花のほうがよっぽどいいです」

でもプチお見合いの路線は消えたかな、と内心思う。朱美の興味は純粋に自衛隊の装備品で、手島も彼女のバイタリティには引き気味だった。

「すみません、父がお見合いみたいなこと仕組んだんでしょ？」

「あー、まあ……気が向けばどうだ、くらいのことは言われたかな」

「でもちょっと引いちゃいました？」

鋭い観察眼に手島は思わずたじろいだ。

「いや、美人だし積極的だし素敵な人だと思いますよ。おまけに自衛隊好きときて。でも僕には高嶺《たかね》の花かな、と」

そもそも俺に興味がないみたいだし、というのは口に出さなかったが。

水田に話を持ちかけられて多少の期待がなかったと言えば嘘になる。だが、実際会ってみた朱美は付き合う相手として手島を振り向くタイプには見えなかった。手島とAH1Sを並べたら迷わずAH1Sに駆け寄って歓声を上げるだろう。

そのテンションについていけるタイプでないと駄目なのだ。だとすれば、手島より気が合いそうなタイプは朱美が摑まえて話をしていた隊員のほうに既に何人かいた。

俺ならどっちかというと──比べたのはたまたま彼女たちが二人で来たからだ、と思う。

「すみません、悪い子じゃないんですよ。ただ、ちょっと積極的すぎるというか、自分の欲求に素直すぎるというか。もう少し落ち着いたらお話もできると思うんだけど」

紹介すると言われた相手をほったらかしているちょっと困った友達をフォローする有季のほうが、手島には魅力的に見えた。たとえ親の欲目が入っていて朱美ほど美人じゃないとしても。性格的にも多分、朱美よりは有季のほうが手島とは合っている。

「大丈夫ですよ、プチお見合いなんて最初から本気にしてませんから。それに僕はあまり女性にモテないので、気の利いた会話もできませんし。一人でああやって楽しんでくれるタイプで却《かえ》って気が楽でしたよ」

「え、そんな」

有季がお世辞かもしれないが首を横に振った。

「手島さん、普通にモテそうな感じですよ」

「いやぁー、合コンとかナンパとか振られてばっかりですよ」

「えー、何でだろ。すごく気も遣ってくれるし親切だし」

「うーわ、それ『いい人なんだけどお友達でいてね』の典型って言いませんか」

――図らずも。

短期決戦じゃ自分のいいところを出し切れない。

同期の宮崎に指摘された弱点が、朱美のバイタリティによって有季との間で解消されていたことにはその時点では気づかなかった。

結局、朱美は途中で声をかけた隊員と意気投合したらしく（その隊員は手島の後輩で、タイプとしては確かに朱美と合う奴だった）、見学時間の後半はほとんどその隊員と行動している状態だった。

「もう、朱美ちゃんは〜〜〜〜！」

後ろをついていきながら有季は握った両手をじたばたさせている。手島と引き合わせるという手前、申し訳が立たないなどの葛藤《かっとう》があるのだろう。

「いや、構いませんって。ていうか、有季さんを放り出して彼女のダッシュについていくわけにもいかないし、彼女一人で放っといたら立ち入り禁止区域にまで入り込みかねないから、見張りが一人ついてるほうが俺も気が楽です」

「隊員さんはご存じの方なんですか？」

「ええまあ、後輩ですから。乗機は俺と違いますけどね……」

そこまで話して思わずクックッと笑いが漏れた。

「どうしたんですか？」

「彼女があいつを気に入った決め手が分かった」

「ええっ、どういうことですか？」

「彼女、ほんっと軍事マニアなんですね」

「それは確かにそうなんですけどどうしてー!?」

ちらつかせた答えに食いついてくる有季がかわいくて二、三度勿体《もったい》をつけた。

「あいつ、AH1Sのパイロットなんですよ。彼女さっきAH1S——あの正面から見て細いヘリ、あれに釘付《くぎづ》けだったでしょう。俺が乗ってるのは汎用《はんよう》のUH60JAですから。汎用ヘリより戦闘ヘリのほうが好きなんでしょうね。だから話を訊くのも楽しい、と」

有季はぽかんとしばらく口を開けていたが、やがて呆《あき》れ果てたように呟《つぶや》いた。

「もうっ——もうっ！　そんな理由で——！」

「いや、構いませんよ。俺も有季さんと話せて楽しいし」

朱美のテンションを間近で見続けたせいだろうか、自分でも意外なほどにさらりとそう言えた。

「でも私、今日は付き添いのつもりだったのに……」

手島に対して何かの使命感を持ってしまっているらしい有季は項垂《うなだ》れてしまった。気を遣ってフォローしたと思われてしまったようだ。

ああ、そうじゃないんだけどな。

本当に、君と一緒にあのバイタリティのあるお友達を追いかけて歩くのが楽しかったんだけど。

上官の娘だということがブレーキをかけて、その場ではそれ以上は押せなかった。

代わりに自分の名刺入れを出して一枚抜き、裏側に携帯の番号とアドレスを書く。

「これ」

名刺を渡されて有季は困ったように受け取った。その困った顔に言い訳するように説明する。

「あの二人、話も弾んでるみたいだし連絡先の交換忘れてるかもしれないから。もし朱美さんがまたあいつと会いたいようなら俺に連絡くれたら繋《つな》ぐから」

「でも……」

有季はまだ申し訳なさそうに名刺を捧《ささ》げ持ったまましまわない。

「水田三佐の命令は、お嬢さんのお友達にボーイフレンドを紹介することなので。それが俺じゃなくても、結果的に朱美さんの気に入った奴が見つかればいいんですから。あいつなら性格も朱美さんと合いそうだし、悪い奴じゃないですし」

「じゃあ……すみません」

有季が申し訳なさそうに名刺をしまう。

「あの、じゃあ私のほうも一応……」

――よし！

できれば有季のほうからも連絡先を教えてくれないかな――という下心は自然に叶《かな》ったようだ。もちろん水田の家の電話は知っているが、そこから「娘さんをお願いします」と繋ぐのは相手がなまじ親しい上官だけに至難の業である。

有季が出したのはパソコンで作ったらしいかわいらしいデザインの名刺で、名前と携帯番号と携帯アドレスが柔らかなフォントで印刷されている。

「かわいいですね、自分で作ったんですか？」

「あ、いいえ。朱美ちゃんに作ってもらったんです。デザイン学校行ってて、勉強になるからって実費だけで色々作ってくれるんですよ」

へえ、ただの軍事オタクなだけでもないんだな。というのは、もうお互い視野に入っていない同士では今さらの情報だったが。

＊

「ありがとうございました、とっても楽しかったですー！」

と、帰りがけに朱美は一応手島にもそう挨拶したが、楽しませたのが手島ではなかったのは自覚しているので苦笑しながら会釈するしかない。

「どうもすみませんでした、せっかくの休日に」

有季の口数が少ないのは、駅に着いて手島と別れたら朱美へのお説教がてんこ盛りなのだろう。

「有季、楽しくなかったのー？」

朱美は一応有季に気を遣ったらしいが、有季は助手席の朱美にくわっと嚙《か》みついた。

「楽しかったよ、楽しかったに決まってるでしょ！」

案内してくれた人の前でその訊き方は何だ、と後でそれも説教の種に加わるのだろう。

「朱美ちゃんは一人で勝手に楽しんでたみたいだけど、手島さんが私の相手してくれたしっ」

「やーん怒んないでよぅ」

まあまあ、と一応割って入ったが、これはこれでうまくいっている友人関係なのだろう。

駅前で二人を降ろし、手島も基地に戻った。

基地へ帰り、夕食後の休憩室でくつろいでいた手島のところに血相を変えてすっ飛んできたのは、朱美と気が合っていた後輩である。

「手島先輩っ！」

階級は同じなのでプライベートでの呼ばれ方は先輩だ。

「昼間の美人っ！　あの朱美ちゃんって何者ですか⁉」

「あー、彼女な」

案の定の質問に手島はわざと意味ありげな調子を声に含ませた。

「意地悪しないで教えてくださいよ、すっげ好みだったんだけど素性分からなかったから迂闊《うかつ》にモーションかけられなくて」

「水田三佐の娘さん」

言った瞬間、後輩が慄《おのの》いた。まだ経験が浅いこの後輩には水田三佐は気の引ける相手であり、その娘と言われたら腰の引ける度合いは手島以上だ。

「……の、友達」

「ああ、もう、何だぁ～～～～」

あからさまにほっとする後輩も正直すぎである。

「自衛隊マニアみたいで俺が今日案内するように言われてたんだよ」

「え、だったら先輩がお相手ってことですか」

さすがにその辺の根回しには聡《さと》い。

「水田三佐はそのつもりだったらしいけど、彼女は俺に興味がないみたいだったな。水田三佐にもそう言うよ」

「だったら、もしよかったら彼女と繋ぎつけてくれませんか⁉」

「おう」

などと余裕で譲る風情を見せながら、実は手島のほうこそ願ったり叶ったりだ。これで有季に自然な流れで連絡が取れるが、

「分かった、そのうちな」

などと口先では気のない返事を一応しておく。

「絶対！　絶対ですよ！」

後輩が食い下がりつつ去っていき、手島の座っていたオンボロソファの隣に割り込んできたのは宮崎だ。

「お前、いいのか？　今の水田三佐の紹介の話だろ？」

その微妙な心配の裏には「せっかくのチャンスなのに」というお節介も含まれている。

「ああ、いいんだよ。確かに美人だったけど俺とはちょっとノリが合わなさそうだったし。あいつとは楽しそうに話してたし、あの子に合う相手が見つかるなら、それに越したことないだろ。水田三佐も若い者同士で適当にって感じだったし、あいつなら三佐も文句ないだろうよ」

「人が好《い》いなぁ、お前も」

呆《あき》れたような台詞《せりふ》に内心でお前もな、と返す。薦めた手前もあっていきさつを気にしてくれていたのだろう。

「どんな感じだったんだ？　その子」

「うーん。軍事オタクの女版、でも申し分なく美人。多分、はしゃぐ場所はわきまえてるタイプ。その代わり、リミット吹っ飛ばしていい場所だと延々ハイテンション。とにかくバイタリティがすごかった」

と、これは有季からの情報もかなり混じっている。

「うーん、確かにお前だったらもうちょっと落ち着いたタイプのほうが合うかもなぁ」

「うん、俺だと振り回されて途中で『ごめん』てなりそう」

「そっかぁ、残念だったな」

いや、本当はそれほど残念でもないんだけど——その理由は上官絡みだけに言いづらい。

宮崎は口が軽い男ではないが、うっかり水田の耳に入れれば父親ガードが堅くなるのはまず確実である。

「まあ、俺は俺のペースに合った子をゆっくり探すよ」

これはちょっとカッコつけすぎか？　だが宮崎は「お前ならそのうちいい子が見つかるよ」とけっこう真剣に励ましてくれた。

電話を掛けたのは何となく人目を憚《はばか》って外である。

台詞は何度も練習したのに、電波の探信音が鳴っている段階から緊張した。

「もしもし」

やや怪訝《けげん》な声に気持ちが怯《ひる》んだが、これは見慣れない番号から電話が掛かってきたためだろう。番号の交換はしたものの、手書きで渡したものを相手がすぐに登録しているとは限らない（手島のほうはもちろんすぐに登録していたが）。

「こんばんは、夜分遅くにすみません」

名乗る前に声で分かったらしい。「ああ、手島さん！」これはけっこう嬉しい。

「どうも、こんばんは。今日はお疲れ様でした」

「いえ、手島さんこそ」

「今、水田三佐は……」

何気なく探りを入れると、晩酌中だと答えが返ってきた。

有季は自分の部屋でくつろいでいたところだという。「父に代わります？」と訊かれて慌てて「いいえ」と否定する。

「実は朱美さんのお話なんですが、お相手していた後輩からぜひ紹介してほしいと頼まれまして。お話しも弾まれていたようですし、もしよろしければ朱美さんにご意向をお尋ね頂ければと」

「あ、はいお安いご用ですけど……」

有季が言いつつ面白そうに笑った。

「会ってお話ししてるときはもっと砕けてたのに、電話だとすごく声硬いんですね」

「電話なので緊張してるんですよ」

やや意識して声を砕けさせると、わざとらしかったのか電話の向こうでまた笑われたが、手島の緊張も少しはほぐれた。

「そういえば、朱美さんはデザイン学校の生徒さんというお話でしたが、有季さんも同じ学校に……？」

雑談に入る振りで情報を探る。

「あ、私は会社員一年目です。まだまだ失敗ばかりで」

初回から長電話になって引かれてはいけないので、相槌《あいづち》を打ちつつ腕時計とにらめっこだ。

頃合いを見て話を引き上げる。

「じゃあ、朱美さんにお話しのほう……」

「あ、はい。二、三日待って頂いていいですか？　こちらからお掛けします」

「ありがとうございます」

挨拶をして切る間際に「お話しできて楽しかったです」と滑り込ませられたのは、手島自身としては上出来だった。


それから何度か電話のやり取りがあり、朱美と後輩は直接連絡を交わすようになった。最初にノリが合っていたとおり、うまくいっているらしい。

そして仲介をしていた二名としてはそろそろ状況の畳みどころだった。

「朱美ちゃんが手島さんの後輩と付き合うことになったって父に報告しときました。そうしたら『何だ、手島は結局トンビに油揚げか。つくづく要領の悪い奴だな』って。ひどいですよねぇ、性格のマッチングも考えずに勝手に手島さん引っ張り出しといて」

手島と水田の間でも、すでに似たような会話が交わされている。違いは水田の言い草がもっと遠慮なしだったことだけだ。

「いや、構いませんよ。要領が悪いのは事実ですから。それに……」

要領の悪さを返上できるか。ここは一発賭《か》けである。

「俺、最初から朱美さんよりも有季さんのほうが話が合って落ち着くなと思ってたんで。朱美さんに気に入ってもらってたら、逆に困ったかもしれません」

電話の向こうで有季が黙った。

「もし、ご迷惑でなければ……」

その先は有季が引き受けた。

「……父に言うタイミングは、けっこう難しいかも。ああ見えて意外と過保護なんです」

共犯者の含みを持った声に、手島は自分の想いが叶ったことを知った。

＊

手島は上官に内緒で上官の娘と付き合い、有季は父親に内緒で父親の部下と付き合う、という図式がスリリングで気持ちをかき立てた。

別に悪いことをしているわけでもないはずだが、何となくその共犯者の気分がお互いに楽しく、付き合いはじめた報告は悪気なく延び延びになった。

「そろそろ言おうか？」

その話は定期的にお互いから出るが、いざ現実的に考えると切り出すのが少し気まずいなとか、付き合っているだけでわざわざ報告するのも大袈裟《おおげさ》か、など些細《ささい》な楽に気持ちが流れる。

「娘が最近休みのたびにめかし込んで出かけるようになってなぁ。どうやら付き合ってる男がいるらしくて」

水田が嘆くような口調でこぼしてきたとき、吹き出すのをこらえるのに苦労した。

すみません三佐、それ俺です。

カミングアウトは有季に黙って勝手にできない。

「悪い男に引っかかってたらと思うとなぁ」

水田は本気でへこんでいる様子で、手島は罪悪感とおかしさが混ざって四苦八苦だ。

「大丈夫ですよ、有季さんなら。しっかりしたお嬢さんじゃないですか。それに成人して働いてるなら彼氏くらいいいたって……」

「何でお前にそんなことが言えるんだ」

水田が子供のように唇を突き出してむくれた顔になる。

やば、ちょっと口を滑らせすぎたか？

「朱美さんを紹介してもらったときに一緒にご案内したじゃないですか」

「ああ、お前が後輩にかっさらわれたアレな」

「水田三佐のご自慢のとおり素敵なお嬢さんでした。周りの男が放っておくわけがない」

満足そうにうんうんと頷く水田に続ける。

「でもすごくしっかりした方でしたし、誰かと付き合ってるとしても真面目なお付き合いをされてるんじゃないですか」

「まあな」

あっさり水田は相好を崩した。

実際、真面目な付き合いをしていると思う。――今どき、初めてのキスを交わすまでに三ヶ月もかかっているくらいだ。

「そういえば手島、お前はカノジョはできたのか。まだだったら紹介してやれる見合いの口ならいくつかあるぞ」

「いえっ！」

予想外の攻撃に、手島はとっさに断り文句だけ口走りながら硬直した。

「あの、お見合いとかはちょっと……遠慮しときます、まだ結婚は考えていないので」

冷や汗混じりに嘘をついた手島に、水田は気のいい上官の顔で笑った。

「ジリ貧になったらいつでも頼ってこいよ」

「いやー、焦ったよ」

次のデートのとき、昼飯のカフェで手島が苦笑混じりにその話をすると、有季がぷうっと頬を膨らませた。

ああ、むくれた顔にはちょっと水田三佐の面影があるかな、とふと思う。

「もう、お父さんったら」

そして上目遣いで手島を睨《にら》む。

「岳彦さん、ちゃんと断ってくれた？」

「当たり前だろ」

手島はまた苦笑した。

「上官の娘と内緒で付き合うなんて、けっこう勇気が要るんだぞ。それでも付き合いたいって思ったんだから信じろよ」

上官の娘に手を出した以上、手島のほうはもちろん結婚を前提にと考えているし、有季にもいいかげんな気持ちでは付き合っていないと伝えてある。

「はぁい」

有季が肩をすくめるように頷いて、頬をわずかに上気させる。ああ畜生、かわいいなぁ
――と手島がやに下がる瞬間だ。

「でね、前から言ってた旅行のことなんだけど」

有季はバッグから旅行誌を何冊か取り出した。

週末でどこか小旅行でも行きたいね、というのはキスの段階をクリアしてから何となく二人で話すようになっている。

漠然とその先に進みたいような、微妙なブレーキがかかっているような、手島としては進みたいのは山々だが、だからと言ってそこらのご休憩・ご宿泊に有季を引っ張り込むというのも気が引けて、その辺の欲求や期待もあっての「旅行にでも行きたいね」だった。

男としては下心含みなので手島のほうから具体的な計画を立てるのもまた気が引けて、旅行の話はあくまで希望の段階で止まったままになっていた。

だから有季が出した旅行誌には嬉しさ半分戸惑い半分だった。え、マジで？　いいの？という世界である。

「岳彦さん、お仕事きついでしょう。だから余裕のある近場にしたほうがいいと思って」

有季が持ってきた旅行誌は全部名古屋のものだった。薄い冊子の全部にそれぞれ付箋《ふせん》が立ててある。

「でも名古屋なんてかなり近場だろ。有季、友達とかと行き飽きてない？」

「意外と中途半端な距離だからあんまり行ったことないの。友達とライブや買い物くらいで。それに好きな人と初めて行く旅行だったらどこでも楽しいよ」

何の気なしに付け足された一言にぐっと来た。誰もいなかったらきっと抱きしめている。

「あのね、名古屋港水族館って行ってみたいの。それからひつまぶし食べたい。いろいろ調べたけどここのが一番評判よさそうで……かなり並ぶみたいなんだけど、岳彦さん行列大丈夫？」

「大丈夫大丈夫」

有季が行きたいならどこに何時間でも並ぶとも。整列、行進は自衛官の本領である。

何気なく泊まるところをチェックすると、それなりに名の通ったホテルに付箋が立っていた。

「へえ、けっこういいとこ泊まるんだ」

「うん、泊まるだけでちょっと贅沢《ぜいたく》かなって思ったんだけど。せっかく初めてなんだし。アメニティも充実してて便利なんだって」

駄目？　と有季が窺《うかが》ってくるが、もちろん有季の希望に駄目だなんてことがあろうはずがない。

「岳彦さんの行きたいところは？」

逆に訊かれて頭を抱える。

「俺、遊び下手だから観光地とかあんまり分からないんだよな……」

パラパラとガイドブックをめくり、手島はあるページで手を止めた。

「あ、これいいな！」

紹介されていたのは南極観測船「ふじ」である。

「海自の艦なんだよな、これ。この本、説明間違ってるけど」

「え、どこが？」

「南極観測船・砕氷船『ふじ』って書いてあるだろ？　砕氷船って呼んでたのは初代の『宗谷《そうや》』だけなんだよ。自衛隊じゃ砕氷艦って呼ぶんだ。だからここの説明は南極観測船・砕氷艦『ふじ』が正しい」

有季がガイドブックを一緒に覗《のぞ》き込みながらくすくす笑う。

「やっぱり気になるんだ、そういうとこ」

「まあ、海自の管轄だからどうでもいいっちゃどうでもいいんだけどね」

「今さら澄ましてもだーめ。ホントにお父さんと言い岳彦さんと言い、自衛隊のことだとムキになるんだから」

「いや、別にどうしても行きたいってわけじゃないからどうでもいいよ」

ややふて腐れた手島に有季はまた笑った。

「残念でした、私の行きたい水族館のお隣です。何か港近辺の四施設が全部回れる共通券があるんだって。お得だから昼間はこの辺中心にして遊ぼうよ」

そして、初めての小旅行はほとんど有季に引き回してもらう形で初日を終え、ホテルにチェックインした。

白を基調にしたツインルームは清潔で高級感が漂っており、調度も便利に整っている。

でもやっぱりツインだよな、とややがっかりしたような、ほっとしたような——手島がベッドに腰を掛けると、有季が荷物を開きながら言った。

「お風呂《ふろ》どうする？」

もちろん風呂は女性に先を譲るとしたものだろう。

「俺は後でいいよ、ゆっくり入っておいで」

「ありがとう！」

有季は浴衣《ゆかた》や自前のスキンケア用品などを持って浴室に入った。「きゃー、広ーい！」などと弾んだ声が、浴室独特の響きを含んで妙になまめかしい。浴室前のクローゼットに上着を掛けていた手島は慌ててベッドのほうへ撤退した。

浴槽にお湯を張っているらしい太い水音がしはじめたが、それを待って有季が出てくる気配はない。男ならお湯が溜《た》まるまで暇だが、女性はその間に化粧を落としたり何だりと細かい仕事があるのだろう。

やがて水音が止まり、ああ浸《つ》かったのかなとぼんやり考える。疲れただろうしゆっくり入るといい――などと余裕で思っていられたのは、シャワーの音がしはじめるまでだった。

特に深い考えもなく浴室から近いほうのベッドに寝転んでいたのだが、
うわ、やばいこれはちょっと。

シャワーの音は単調ではなく、お湯が有季の体を叩《たた》いていることも容易に想像ができた。髪を洗っている音と肌を叩く水音は微妙に音階が違う。

手島は浴室から遠いほうのベッドに荷物ごと移動した。移動したベッドに置かれていた有季の荷物は置き換えさせてもらう。

それでもシャワーの音は大して遠くならなかったので、更にテレビを点《つ》けた。

「あ、テレビ観てたんだ？」

上がってきた濡《ぬ》れ髪浴衣の有季のほうはろくに見られず、手島は曖昧《あいまい》に頷いた。

「ベッドも替えたの？」

「あ、ごめんこっちのほうがテレビ観やすかったから」

微妙な疚《やま》しさが口調を早口にする。

「先入らせてもらっちゃってありがとう、浴槽も広いからゆっくりしてきてね」

そう言われて交替したのに、十五分そこそこで風呂を上がってしまった手島は、有季にくすくす笑われた。

「自衛官の人って、どうしてもお風呂ゆっくり浸かれないんだ？　うちのお父さんもそうだけど」

自衛官の早風呂は芸のうちである。

「人によると思うけど……風呂が好きかどうかの違いじゃない？　けっこうゆっくりしたつもりだったんだけどな」

実を言うと、有季と同じ浴室を使っているということを意識して長湯できなかったのが正解だ。

その後も点けっぱなしのテレビだけを頼りにとりとめのない会話を続けるのに必死で、

「じゃあ、明日もあるしそろそろ寝ようか？」

有季のタオルが投げ込まれたのは、手島が疲れているように見えたのか十時を過ぎた頃だった。

フットライトだけ残して明かりを消し、それぞれベッドに入ったものの手島はなかなか寝付けなかった。

有季のほうからも寝息はなかなか聞こえてこない。

やがて、

「岳彦さん」

有季が囁くような低い声で呼んだのが何時だったか覚えていない。

「こっちのベッド、来ていいよ」

「え、でも」

即答してしまったことがすでにまんじりともしていなかった証拠なのに、手島は思わずたじろいだ。

「――いいの？」

「二回は言わない」

確かに女から二回言わせたら相当ヘタレだ。

「初めての旅行でダブル取ったら私だけすごいその気みたいだから嫌だったの」

いきなり有季はツインを予約した言い訳を口走った。

上官の娘に真の意味で手を出すことを躊躇《ちゅうちょ》していた手島に、この旅行は有季からＯＫをくれたのだろう。それでも部屋をツインにすることまでが有季の精一杯だったのだ。元々積極的な性格ではないし、今回の予定はかなり頑張ってくれたはずだ。

「私も、いい加減な気持ちで付き合ってないから」

眠れなかったお陰で暗さに目が慣れている。

有季のベッドに移った手島は、硬くなっている有季の額から順番に唇を下ろした。

＊

翌朝、ベッドの中でお互い微妙に照れながら目を覚まし、交替でシャワーを浴びた。

着替えて朝食バイキングへ行く頃には何とか照れも克服し、平常営業に戻る。

「えっ、そんなに朝から食べるの⁉」

「えっ、朝なのにそれしか食べないの⁉」

持ち帰った皿は、手島は区分けも分からないほど料理を積み上げた皿にカップのスープ。有季はといえば、申し訳程度——本当に一口か二口ばかりのスクランブルエッグを添えたロールパンに紅茶だけだった。

「もっと食べないと体に悪いって。俺なんかこれからもう一皿おかずとパンと飲み物取りに行くのに」

「無理！　入らない！　岳彦さんと同じレベルで考えないで！　女性はみんなこんなもんだよ」

「それにしたって少なすぎだろ、それ。みんな有季と同じレベルとは言わせないぞ」

「だって朝入らないんだもん……」

「じゃあせめて牛乳飲め、牛乳。俺、取ってきてやるから」

「分かった、じゃあ牛乳だけ……」

テーブルでそんなやり取りをしていると、不意に後ろから声がかかった。

「手島!?」

ぎょっとして振り向くと、そこに立っていたのは宮崎だった。向こうも女連れだ。例によって例のごとく、宮崎好みの美人である。

うわー、やばいのに見つかった！　固まった手島を宮崎が肘《ひじ》でつついて囁く。

「何だよおい、いつの間に彼女なんかできたんだよ！　よさそうな子じゃないか」

「いや、その、」

「こんないいホテルに一緒に泊まっといて彼女じゃないなんて言い訳通じねえぞ」

「いや、まあ、その……」

どうやってこの場を切り抜けようかと必死で考えを巡らせ、「お前こそ」と投げ返す。

「前の女と違ってないか」

宮崎がすごい形相で手島の口を塞《ふさ》ぐ。

「言うなっ！　前のは別れた、今度は本命なんだっ。週末のブライダルフェア来てて」

「え、お前いよいよ年貢の納めどき？」

「だから誤解を招く表現はよせっ。それと隊の奴にもまだ言うなよ」

手島に一方的に口止めをした宮崎が、持ち前の人懐こさで有季に話しかける。

「おはようございます、俺、手島の同僚で宮崎と言います」

そう来られると有季としても応じないわけにはいかない。一瞬困ったように手島を見て、それから小さく会釈した。

「水田有季と申します。おはようございます」

名前を聞いて宮崎がぽかんと口を開いた。そしてまた手島の首に腕をかけて脇へ持っていく。

「まさかとは思うけど一応念のために確認しとくが……」

「そのまさかだよ。水田三佐の娘さんだ」

　手島も投げやりに答える。

「え、じゃあ、あの紹介のときから？」

「ああ。彼女の友達とはノリが合わなかったけど、彼女とは気が合ったの。よくあることだろ」

　宮崎が別段ここでその必要もないのに声を潜める。

「水田三佐はこのこと……」

「知らない。言ってない。言えるわけねえだろ」

「だよなぁ、紹介された娘の友達蹴《け》って娘さん盗《と》りました、なんてなぁ」

「朱美さんは俺が蹴ったわけじゃない！　朱美さんの眼中に俺が入ってなかったんだ！　それに有季を盗ってもない！　合意だ、合意！」

「父親からすりゃ盗られたも同然だよ、そりゃ。娘の友達紹介する気でいたら自分の娘と部下が付き合ってました、なんてさ。カミングアウト難しいよなぁ」

「だから苦労してるんだよっ」

　ふて腐れた手島に、宮崎が直球で問いかけた。

「結婚は前提？」

「上官の娘と遊びで付き合えるほど俺は神経太くない」

ばしん、といきなり肩を叩かれた。

「じゃあ応援してやる。頑張れよ！」

言いつつ去っていこうとした宮崎に、有季が思い詰めたような表情で立ち上がった。

「宮崎さん、あのっ」

「はい？」

「父には……まだ内緒にしててほしいんです。タイミングが色々難しい人だから」

宮崎はにっこり笑って頷いた。

「もちろん、お約束します」

宮崎の彼女——というか婚約者は、手島と有季に会釈して宮崎と一緒に立ち去った。

手島は約束の通り有季に牛乳を持ってきて（自分の追加はさすがに欲しくなくなった）有季の向かいに座った。

「大丈夫だよ、ああ見えて口の堅い男だから。いい奴だし」

有季はやっとほっとしたように笑った。

＊

それから三ヶ月ほどして、宮崎は華燭《かしよく》の典を挙げた。

もちろん水田と手島も招待されており、上官のスピーチは水田が頼まれた。自衛官で上官からのスピーチといえば、もう誰が喋《しゃべ》っても必ず入ると言っても過言ではないフレーズがある。

「これから家庭を作っていくお二人ですから意見が衝突することもあるでしょう。しかし、新婦の美奈子《みなこ》さんは、どんなケンカを前日の晩にしても、翌日の朝は必ず笑顔で宮崎君を送り出してあげてください。いついかなるときに、いかなる事態に陥るか分からないのが我々自衛官です。いざというときにお互い悔いを残さないためにも、ケンカは翌日に持ち越さない。これだけは上官として自衛官として、何とぞよろしくお願いします」

水田が深く頭を下げ、新婦も釣られたように立ち上がって深く頭《こうべ》を垂れた。その光景に自然と拍手が湧く。

新婚の宮崎は女遊びもぱったり止み、幸せな結婚生活を送っているようだった。

「宮崎が羨《うらや》ましかったらいつでも俺に頼めよ、見合いの口利きならいくらでもしてやる」

水田のお節介が頻繁になったのは、どうやら宮崎がことあるごとに手島をプッシュしてくれているかららしく、親切はありがたいが効果としては苦笑するしかない。

「うーん、巧《うま》くいったら『俺の娘を紹介してやる』とかにならないかなと思ったんだけどなー。もうちょっと露骨に押すか？　『そういえば水田三佐、すてきな娘さんがおられるそうで』とか」

宮崎の提案に手島は笑いながら手を振った。

「もういいって、何か逆効果になりそうだから」

＊

そして二年が経ち、手島は二十七歳になって二尉になった。

そして――

何で、俺はこんなものを見る羽目に陥ってるんだろう。


格納庫に作られた斎場で、白い菊の中に掲げられているのは黒縁の額に引き伸ばされた宮崎の写真だった。普通なら制服を着てきりっとした写真が選ばれることが多いのだが、細君の希望で変えられたという。

あの人らしい写真にしてください。

そして細君が選んだのは、いつものパイロットスーツで少し髪を崩し、朗らかに笑っている写真だった。

喪服姿の細君は両家の両親にまだ何も分かるはずのない二人の子供を預け、隊員たちの挨拶に応じていた。こらえようとしながら涙がとめどなく流れ落ちるのを白いハンカチで押さえる。

たった二年でよくもまあ効率的に仕込んだよなぁ——と年子のことをからかうと、宮崎は照れくさそうに笑っていた。

エンジントラブルによる事故だった。住宅を巻き込むまいと、騙《だま》し騙し駐屯地へ機体を持ち帰り、力尽きたように宮崎が操縦していたＵＨ60ＪＡは地上に叩きつけられたという。機体はローターの空転でめちゃくちゃに跳ね回って、ようやく死んだ魚のように地べたに横たわったときに手島たちは駆けつけた。同乗の隊員は重体、宮崎は一目で命を落としたことが分かる状態だった。

宮崎ッ！

思わず揺すぶろうとした手島を水田が止めた。

よせ！　万が一ということもある！

万が一——助かる、のか？　水田自身も信じてはいないことが分かる指示で、それでもこの世に神がいるならすがりたい。そんな怒号だった。

——神は結局、自分たちには不在だった。

明るくてお調子者でそのくせ義理堅く、手島と有季のことも最後まで気にかけてくれていた同僚は、ヘリでも戦闘機でもたどり着けないところへ行ってしまった。

地上に何より愛した家族を残して。

葬儀を見守りながら水田が涙をこらえて食い縛った歯の間から呟いた。

手島。手島、俺はな。

俺は、自分の娘にだけは、こんな思いをさせたくない。

絶対にだ。


吐き出す相手がたまたま隣にいた手島だった、それだけだろう。

それでもそれは、太い釘になって手島を貫いた。


お嬢さんとお付き合いさせて頂いています。

お父さん、私、手島さんと付き合ってるの。


いつ言う？　どっちから言う？

カミングアウトの相談をしながら、何となくの気まずさといたずら心でお互い言い出す決心がつかなかった二年。

その逃げ腰の二年への罰のように、天は宮崎を奪ったようにも思われた。

*

「別れようか」

窺う口調になったのは、自分でも本意とは正反対のことを切り出したからだ。

カフェで向かいに座った有季は、何の相談もしていないのに黒い服を着ていた。宮崎の葬儀があってから初めて会う日だった。

そんな濃《こま》やかな心遣いを自分はこんなにも愛《いと》おしく思っているのに。

有季も愕然《がくぜん》と手島を見つめていた。

「――どうして?」

「ごめん」

お互いどうして手島がそんなことを言い出して、どうして手島が理由を言わないのかを知っている。

「……何となく」

知っていて、手島はそれをごまかそうとしている。

だが有季はごまかされようとはしなかった。

「宮崎さんが亡くなったから?」

率直に、まるで責めるように率直に有季は手島を摑まえにきた。

「宮崎さんが亡くなるまでに私たちが父に付き合ってることを切り出せなかったから？　そして父が毎晩うちで悪いお酒になりながら『自分の娘にだけはあんな思いをさせない』って呟いてるから？　多分、岳彦さんにもお葬式のときに同じことを言ったから？」

そして有季はまっすぐに手島を睨《にら》んだ。大人しくて控えめな彼女の、初めて見せる射るような眼差《まなざ》しだった。

「今まで父に報告するのを逃げ腰で二年間付き合ってきたのは私たちよ。その間に私たちの恋を応援してくれてた宮崎さんが亡くなったとしても、それを疚《やま》しく思うのは私たちの傲慢《ごうまん》よ。彼は私たちのために亡くなったんじゃない。私たちの逃げ腰への罰で宮崎さんが亡くなったように思ってるんなら、それは思い上がりだわ。宮崎さんが亡くなって、一番辛《つら》いのも大変なのも遺《のこ》されたご家族なのに、私たちの恋を終わらせる理由まで宮崎さんに載せるの？　私たちは一体何様なの？」

淀《よど》みなく吐き出された言葉のすべてが手島を打った。

しかし気づいた。水の入った洒落《しゃれ》たグラスを包んだ有季の両手は細かく震えている。

「何となく別れたいならそうしたらいい。何となく別れようっていつ思われてもおかしくない程度の気持ちで付き合われてたって思うことにする。でも理由を宮崎さんに載せるのだけは絶対やめて。そんな岳彦さんを好きになったなんて思いたくないから」

言いつつ有季は席を立った。一言もなかった。

呼び止める資格もない。ランチを持ってきた店員と入れ違いに有季は立ち去った。店員が怪訝そうにランチのプレートを二つ置いて去る。

おいしそうな湯気を立てていた料理は、手をつけかねてつつき回しているうちに冷め、隊員食堂で出る飯よりも不味《まず》そうな代物に成り下がった。

結局二枚のプレートにほとんど手をつけないまま会計に行くと、もう全部が支払い済みだった。

もしかして、追いかけるべきだったのだろうか。店員から微妙な哀れみの眼差しを受けながら店を出た。


ごめん、何となく別れようといつ思われてもおかしくない程度だなんて。

君にそんな台詞を言わせるなんて。

君にその台詞を復唱させて初めてどんなにひどいことを言ったのか思い知る。

そんな程度で付き合ってたことなんか一瞬もない。

だが、その日から有季は携帯に掛けても一向に電話に出てくれなくなった。

当然だ。それだけ傷つけた。見放されても仕方のない理屈を切り出した。

何度も打ったメールは見てもらえているのだろうか。有季からのリアクションは一向にない。別れようか、などと煮え切らない別れ話を切り出した分際で、それを恨みがましく思う資格などない。

こんな情けない俺がどうやったら彼女と話す機会をもらえる。

何となく別れようと思われてもおかしくない程度の気持ちで付き合われてたと思うことにする。好きな女にそんな台詞を吐かせるような俺が。

考えて考えて考え抜いて——答えは一つしか思いつかなかった。

＊

宮崎の初七日から三週間目を選んだ。

終礼後、手島は水田のデスクへ向かった。

「水田三佐、個人的なお願いがあります」

敬礼しながら切り出すと、水田は怪訝な顔で手島を見上げた。

「どうした、珍しく険しい顔だな」

そうか、今自分は険しい顔をしているのか。

だがその表情はすぐにあなたに移ります。

「お嬢さんの有季さんを自分に紹介してください」

見る見る――水田の顔が険しくなった。案の定だ。

「ふざけるな！」

時ならぬ怒号に、残っていた隊員たちが何事かと様子を窺う。

「俺は、自分の娘にだけはあんな思いはさせん！」

「自分が有季さんに同じ思いをさせるとは限りません」

「そんな保証のない職業だろうが！」

「それでも全力を尽くします。全力を尽くすしかできませんが、全力を尽くします。宮崎もそうだったはずです」

「駄目だ！　いくらお前の頼みでもそれだけは聞けん！」

そう来ると思っていた。だから手島は躊躇《ちゅうちょ》なく火に油を注いだ。

「実はもう付き合っています。しばらく前に大きな喧嘩《けんか》をしましたから、有季さんがまだ自分と同じ気持ちでいてくれているかどうか今は断言できませんが、少なくともその喧嘩のときまではお互い結婚を前提にという気持ちでいました」

「結婚を前提に……？」

水田は却って虚を衝《つ》かれたようにぽかんとした。

それから見る間に顔が真っ赤になった。

「貴ッ様ァ……いつからだ⁉」

「二年ほど前からになります。お友達の朱美さんをご紹介頂いたときです。朱美さんには振り向いて頂けませんでしたが、有季さんとはお互い気が合いました」

「貴様、人の娘を……！」

ぎりぎりと歯を食い縛っていた水田が、はっと気づいたように大声を上げた。

「どこまでの付き合いだった⁉」

「結婚を前提に、と先ほど申し上げました。有季さんはすべて預けてくださったと思って頂いて結構です」

それが水田の導火線が燃え尽きた瞬間だった。

水田は制服の上着を脱ぎ捨てながら怒鳴った。

「表に出ろ、貴様ァ！」

「――了解しました」

手島もジャケットを脱ぎ捨て、膨れ上がっていた野次馬の群れをかき分けるように二人で庁舎を出た。

表の芝生が決闘場だった。さすがにコンクリートやアスファルトの上では致命的な負傷になりかねない。

「手島ァ！」

怒号と共に手島の頬には痛烈なパンチが突き刺さった。最初の一発は無条件でもらおうと思っていた。大事な娘と黙って二年も付き合った罰として。

しかし強烈だった。自分の親父と同じ年代だとは思えないほどの打撃で、さすが自衛官というところである。口の中にさっそく血の味が滲《し》みた。

だが、こらえきれない程ではない。これは訓練ではない。ただの喧嘩だ。ルールはないなら勝ち目はどこかに転がっている。

「俺が勝ったら有季さんに会わせてくれますね」

「勝ってみろ、ひよっこが！」

二発目をくれようとした水田をかわし、手島は自分が食らった同じ頬へ拳《こぶし》を叩き込んだ。く、と苦鳴を漏らして水田が踏みとどまる。

「そこそこいい打撃くれるようになりやがって」

「あなたが上官でしたから」

周囲で素早く事情が飛び交い、どちらが勝つか賭《か》けが始まっている。上官まで混じっているのがご愛敬《あいきょう》だ。

手足のリーチは手島が有利だ。立っている限り打撃が入るのは手島のほうが多い。

お互い顔面狙いのためか鼻血が出始めて、お互いのシャツに血が飛び散るようになった。

「失礼します！」

リーチの長さも条件のうちだ。表に出ろと言ったのは水田だ。遠慮なく殴る。

「ぐぅっ」

水田が目を押さえて後ろへたたらを踏む。同じパイロット同士、暗黙の了解で目は互いに避けていたが、悪いことに水田の見切りと手島の狙いがそれぞれ逆にずれたらしい。

水田の左目、濃い眉毛《まゆげ》の上がぱっくりと切れていた。血が目に流れ込むのか左目はどうしても眇《すがめ》になる。

手島は少し構えを下ろした。

「謝りません。ですが、もうやめましょう。これ以上目の周りを怪我したら……」

「舐《な》めるなひよっこォ！」

怒号と共に90式《きゅうまるしき》戦車のような突貫力で水田が突っ込んできた。

しまった！

踏ん張ろうとしたが、低い姿勢で足元に突っ込んできた水田をこらえきることは不可能で、巻き込まれてもろともに後ろに倒された。

グラウンドに持ち込まれたら手島が不利だ。何しろ敵は柔道三段だかの猛者《もさ》のはずだ。

「くそっ」

何とか逃れようと暴れ、水田の肩に本気で肘《ひじ》を何度も入れるが、筋肉で鎧《よろ》ったような肩はびくともしない。

「手島ーっ、頑張れー！」

「隊長、そこだーっ！」

外野は勝手なこと甚だしい。

しばらくは粘ったが、やがて摑まった。三角絞めを極《き》められる。

「有季と別れろ！」

「嫌です！」

「折られたいのか！」

本当は激痛で声を出すことさえ辛《つら》い。自分の声が声になっているかどうかも分からない。

それでも手島は叫んだ。

「有季が直接俺と別れると言わない限り嫌ですッ！」

有季に会わせてくださいと何度か叫んだような気がする。

有季が好きなんだ――好きなんだ好きなんだ好きなんだ！　邪魔するな！

どこまで声になったのか、意識が朦朧《もうろう》として分からなくなった。

ふと気がつくと、極められていた腕が解放されていた。

腕が解放されたことにしばらく気がつかないほど放心していた。真上には星のちらつき
はじめた宵の空が広がっていた。

手島の近くに胡座《あぐら》をかいた水田が、丸めた背をこちらに向けていた。

苦々しい声で吐き捨てられる。

「本当に折るわけにはいかんだろうが」

降参しやがれ、くそ。重ねてそう吐き捨てられ、手島は答えた。

「嫌です」

「律儀で誠実な男だよまったく。——宮崎が言った通りだ、忌々しい」

帰るぞ、と水田が手島の手を取って引っ張った。取った手が極めていたほうの手だったことは絶対にわざとだ、と悲鳴を上げながら手島は思った。


「有季！　客だ！」

水田が玄関で呼ばわってしばらく、階段を駆け下りる軽い足音と共に有季が姿を現した。

最後に会ってから二週間、ようやくここまで漕《こ》ぎつけたと手島はほっとした。

だが有季は父親の後ろに手島を見つけ、きゃあっと悲鳴を上げた。

「やだ、何で⁉」

有季は着ている服を隠すように羽織ったフリースの前を合わせた。しかし、中も地味なスウェットだったことはわずかな時間で確認できた。足元はおばちゃん仕様の太い毛糸で編んだ靴下だ。

「やだ着替えるっ！」

また階段を上って行きそうになった有季を呼び止める。

「大丈夫だよ、そのままで。そんな格好もかわいいよ」

「俺の前で娘に歯の浮くような台詞を言うなッ！」

水田がまた鬼の形相になって手島を怒鳴りつけ、ずかずかと先に奥へ上がっていった。

有季はまだ微妙に気兼ねしながら、それでも一歩ずつ手島のほうへ近づいてきた。

「どうしたの、その顔。お父さんもだけど」

「殴り合い。有季に会わせてくれ、駄目だの押し問答で」

「え、じゃあ」

有季の表情が泣き出しそうに歪《ゆが》んだ。手島は答えた。

「二年前から付き合ってるって言った。結婚を前提にって」

有季の涙腺《るいせん》が決壊する。

「ごめん、この前。宮崎に理由は載せない。同じ思いをさせない保証はあるのかって三佐にも訊かれたけど、全力を尽くすって答えた。それしかできないけど、どんな任務からも生きて帰るように全力を尽くす。だから許してくれっていうのは間に合うかな」

有季が両腕を手島の首に絡めた。手島も応《こた》えて有季を抱き締めた。

「……お父さんが」

有季が泣き声で呟く。

「急に、晩ご飯、鍋《なべ》にしろって。それでさっき私が買い物行ってきたところ」

「うん」

「岳彦さんを、連れてくるからだったんだね。お父さん、私たちのこと、許してくれたんだね。岳彦さんが、私たちのこと、お父さんに話してくれたんだね」

うちのお父さん、強かったでしょう。労《いたわ》るように囁かれて、手島も頷いた。

「強かったよ。でもあれを乗り越えないと有季に会えない。それに俺も大概だけど、三佐も結構ひどい顔にしたよ」

と、奥からまた水田の怒号が飛んできた。

「お前、そんなところで俺の娘とイチャイチャするな!」

「私がしたいんだからいいの!」

有季に毅然《きぜん》と言い返されて、水田はしおしお部屋の中に撤退した。娘にはどうやら弱いようだ、と手島は今後のための学習を一つ重ねた。

＊

そしてその半年後、手島は宮崎と同じホテルで有季と結婚式を挙げた。

宮崎を招待したつもりで友人席に写真を置いた席を一つ作った。

そして手島はスピーチを頼んだ上官から、宮崎のときと同じお定まりの話を聞いている。

「新婦の有季さんは、どんなケンカを前日の晩にしても、翌日の朝には必ず笑顔で手島君を送り出してあげてください。何故なら……」

上官としてではなく父親として結婚式に出席した水田はボロボロだった。

親族挨拶で既に涙と鼻水が止まらない状態で、有季からの花束贈呈では男泣きに泣いた。号泣と言っても過言ではない。

「頼んだぞ」

泣きながら手島の襟を絞める。

「頼まれました」

手島は頷き、有季と顔を見合わせて笑った。

Fin.

ダンディ・ライオン

～またはラブコメ今昔イマドキ編

Dandy Lion

*

○矢部《やべ》千尋《ちひろ》の場合

朝霞《あさか》駐屯地で通信群に配属されていた矢部千尋が彼を知ったのは写真からである。駐屯地の隣の自衛隊広報センターを所用で訪れたときに、出入り口のホールで写真展が行われていたのだ。

その年の総合火力演習の写真らしい。

事務方に提出した書類待ちで時間が空いていたので、展示の列を何の気なしに見て歩く。どの写真もここぞというポイントを外さずに、いいアングルで撮られている。90式戦車《きゅうまるしき》などはドリフトしながら放つ砲弾が火炎を曳《ひ》き、そのドリフトする土砂がこちらに飛んでくるような迫力だ。退役間近の74式《ななよんしき》戦車にしても、一列に並んで射撃するその砲塔が一斉に火を噴いているタイミングをぴたりと捉《とら》えている。

巧《うま》いなー、と思いながらパネル展示の間を歩き、千尋はふと足を止めた。

「へえ……」

第一空挺《くうてい》団の空挺降下の写真である。着地してからパラシュートを手早く畳む空挺隊員の姿がアップで捉えられていた。

その緊張感までも過去から切り取ってきたような。

気がつくと、装備品の写真の合間にそうした写真が一定の間隔で混じっている。顔を泥で汚し、汗を流し、派手な演習の裏側で装備の運用に徹している自衛官の懸命な姿。

いいな、と思った。

総火演に来たがるような民間人が興味を持つのはやはり装備品で、それは陸海空で共通している。だから客引き――というと聞こえが悪いものの、広報としては装備品の写真をいかに巧く撮るか、ということに力を入れがちになる。

そこにこうした写真を混ぜてくるカメラマンのセンスはいいなと思った。

不祥事を起こすけしからん隊員が出るたびに、あるいは組織ぐるみで迂闊《うかつ》を踏むたびに厳しく糾弾されるのは国家防衛部隊として当然のことではあるが、一人一人は懸命にこうして訓練を積んで働いているのだ、と――それを強硬に主張するのではなく、どうか誰かに伝わってほしいと願っているかのような真摯《しんし》な写真だった。

誰が撮ったか気になったのは、実家の父がカメラマニアでカメラ雑誌に投稿などもしているからかもしれない。

カメラマンの名前は展示の一番最後、写真が足りなかったパネルの余白部分の隅っこに小さく書いてあった。

『陸上自衛隊広報・吉敷一馬《よしきかずま》二曹』

吉敷二曹、かぁ。

何とはなしにその名前をそのとき覚えた。防大を出て三尉で配属された千尋より階級は三つ下だ。

叩《たた》き上げだったらおじさんかも。だからこんな視点も出てくるのかな。

そんなことを思ったとき、事務方に頼んであった用が終わり、千尋は駐屯地側へ帰った。

＊

何となく覚えたその名前に再会したのは、思いがけず自宅だった。その年の暮れの休みで実家に帰ったときのことである。

相変わらず居間には父が投稿を続けているらしいカメラ雑誌が何号分も置かれていて、千尋はソファに寝っ転がりながら手近な一冊を手に取った。

お父さん入選できてるのかな。興味のない分野なので月例コンテストのページまでパッと流す。

その月は大規模なコンテストの発表月だったらしく、これはお父さんの出番はないな、と苦笑する。

グランプリ作品が出たらしく、その写真が大きく印刷されていた。

タイトルは『ダンディ・ライオン』。

アスファルトを割って芽を出したタンポポが被写体だった。踏まれやすいところに顔を出してしまったらしく、茂った葉には靴跡や自転車のタイヤ痕《こん》が残り、何本か伸びた茎も折れ放題だ。

しかし、茎が折れて地を這《は》っても、黄色い花は天を向いていた。あまつさえ、綿帽子になって散る準備のできた花まで。

それは正に不屈の闘志を持った誇り高いライオンのように。

種の一固まりが風に乗った瞬間をその写真は捉えていた。ダンディ・ライオンに敬意を表するように、花は同じ高さから撮られていた。撮影者はおそらく地べたに這っている。踏まれた花と視線を合わせるために。

他の入選作品のように美しくはない。だが、撮影者の選んだ被写体の力強さは美しさや郷愁を圧して余りあった。

どうやら常連らしい。選評には「きれいにまとまらない荒々しさが魅力の作者。またもやってくれた」と賞賛する一文があった。

そして最後にタイトルの後ろにくっついていた作者情報を見て、

「え――!?」

千尋は遠慮会釈なく声を上げた。

吉敷一馬（27）公務員

職業で確信した。間違いない――あの吉敷一馬だ。公務員なんて自衛官が仕事外で使う身分の定番だ。

「珍しいもの見てるなぁ、お前。写真に興味なんかあったのか？」

千尋の声が届いたのか、父が書斎から出てきた。

「あ、お父さん。この人知ってる？」

写真を見せながら訊《き》くと、父はああと頷《うなず》いた。

「いろんなカメラ雑誌でよく入選してるな。悔しいがいい写真を撮るよ」

父の写真は素人目にも下手の横好きである。悔しいが、などと言っているが、相手にもなるまい。

「その写真がどうかしたのか」

「え、ううん……こういう写真がグランプリになるんだーって思って。何かほら、準入選とかのほうがキレイじゃない？」

この人をたぶん知っている。それをとっさにごまかしたのは何故か分からない。強いて言うなら——宝物を拾ってとっさに隠してしまった感じに近い。

「この作品が分からんとはまだまだだな、お前も。他の作品が持ってない強いテーマ性があるよ」

などと、父は選評を暗記したのが丸分かりの解説を滔々《とうとう》と始めた。

うん。——分かるよ。

この写真だけレベルが違うもん。写真なんて全然分からない私がこんな惹《ひ》きつけられるほど。

『ダンディ・ライオン』——きっと、秘められたタイトルが別にある。それが分かる気がする。

それにしても、と千尋は父の解説を聞き流しながら写真に見入った。

てっきり叩き上げのおじさんと思っていたのに。だから総火演の写真で裏方の姿を撮るような心憎い演出ができたのだと思っていたのに。

千尋よりたった三つ上の二十七歳だったなんて。

どんな人だろう、と俄然《がぜん》興味が湧き上がった。

父の解説はまだ滔々と続いていた。

行動力はあるほうである。——ややありすぎるほど。

*

年が明け、休みが終わって朝霞駐屯地に帰るなり、千尋は吉敷一馬の捜索を始めた。

手がかりは名前と階級、そして写真。

朝霞の広報センターで写真展のことを訊くとすぐ分かった。同じ朝霞駐屯地で広報陸曹として東部方面隊の隊内紙『あづま』の写真を担当しているらしい。

所属が分かると今度は本人を見てみたい。

広報部を数日張って、どうやらそれらしい人物を見つけた。背が高く、髪がだらしなく適当に伸びた青年だった。散髪に行くのが面倒で、何となくそんな頭になってしまったという感じで、あまり自分の身なりに興味がなさそうだ。

そんな頭でも地味に見映えはするので、その気になればもっといい男になるだろうに。上官に「お前、そろそろ髪切れ」と言われたら言われたままに切りにいくのだろう。別段何のこだわりもなく。注文を訊かれて「適当に手間かかんないように」と答えそうな性格まで想像できた。

ある日、広報部の前でその推定吉敷二曹が他の隊員とフィルムの受け渡しをしていた。

吉敷がフィルムを渡す側である。相手はそこそこ年のいった一尉だが、何故か空白の制服を着ている。

「すまんな、いつも」

「構いませんよ、別に。こちらもいい場所もらってるんで」

物陰に隠れて初めて聞いた推定吉敷二曹の声はまともに千尋の腰に入った。

少しかすれた低い声。推定吉敷二曹はどうやら無口な質《たち》らしく、張り込みはじめてから二週間が経っても声を聞く機会がなかったのだ。

この声で囁《ささや》かれたら膝《ひざ》から崩れ落ちそう！　それは単に千尋の好みの問題なのだろうが、少しでも声が聞こえないか、と物陰から必死で耳を澄ます。だが、推定吉敷二曹は千尋のところまでは聞こえない程度の挨拶《あいさつ》を交わしただけで広報部の中に戻ってしまった。

空白の一尉は千尋に気づかず階段を下りていった。その一尉を後先考えずに追いかける。

「あの、すみません！」

「ん？」

一尉に見上げる角度で振り返られて、千尋は慌てて下の踊り場まで駆け下りた。そして千尋から一尉を見上げる角度で敬礼する。

「少しお尋ねしても構いませんでしょうか！」

「何かな？」

うわずった千尋の問いかけに、一尉は笑いながら承諾をくれた。そして踊り場に下りてくる。

「あの、今フィルムの受け渡しをしておられた吉敷二曹なんですが……」

一尉から訂正は入らない。推定吉敷二曹から推定が取れた。

「どうして空自の方が吉敷二曹のフィルムを……？」

「ああ、それはね」

空自の一尉はまた笑った。

「私が百里《ひゃくり》の基地広報担当で、部下のカメラマンがまだまだヘタクソだからだよ」

主要な基地祭や駐屯地祭には、陸海空の部門を問わず広報部の取材が入り混じる。百里基地祭といえば、関東圏内では最も大規模で集客力もあるイベントの一つだ。

「空自で唯一、F—15でナイフエッジを決められるパイロットが退官することになってね。去年の百里は、そのパイロットが滑走路上で超低空のナイフエッジを披露するのが大トリだったんだ」

専門外でもナイフエッジくらいなら分かる。主翼が地面に対して完全に垂直になる曲技飛行だ。しかも滑走路上、超低空ともなれば、地面を翼で切り裂くような鮮やかな曲技になっただろう。

「パイロットがサービス精神を発揮したのか、ナイフエッジは二回披露されてね。記念のパネルを作って展示することになったんだが、うちのカメラマンときたら、その二回とも肝心のF―15をフレームアウトさせてしまったんだよ。一回目は翼が見切れて、二回目は機首が見切れて。民間の航空雑誌に載った写真のほうがよっぽど巧《うま》い。こうなってくると本家本元の百里が一般の雑誌に劣る写真をわざわざ展示するのも悔しいだろう？」

その気持ちはよく分かる。そのパイロットなら千尋も知っているほど有名で、その退官記念のナイフエッジの撮影が一般雑誌に負けたとなると、それは悔しい。

「空自中を探したんだが、どうもこれというものが見つからない。そこで思い出したのが吉敷二曹だ。彼の腕前はあの通りだろう？」

同意を求められても実はあまり知らないのだが、ここは分かっているようなふりで頷く。

「百里にも取材に来ていたはずだと思って問い合わせたら、お見事だったよ。構図は迫力満点、しかも、見切れてないアップから、コクピットのパイロットにズームした写真まであった」

それだけナイフエッジの飛行時間も長かったのだろうが、それにしても何十秒とある訳ではない。そのわずかな時間でそこまで被写体にズームできるとは。

「しかもロングで撮った写真まで何枚もあった」

「何で!?」

思わず声を上げてしまい、慌てて「ですか？」と付け加える。

吉敷は一人しかいないはずで、アップの写真を撮ることに集中しながら途中でロングの写真を何度も入れ込めるとは思えない。

「どうやら、機が一回目のナイフエッジを終えて上空で旋回した姿勢を見て、次は逆から入ってもう一度ナイフエッジが来ると読んだらしいんだ。それで降下してくる前に絞りを変えて二回目はロングで連続的にシャッターを切ったそうだ」

「すご……」

もはや化け物じみている。

「もちろん、どの航空雑誌よりも迫力のある写真だった。ぜひ融通してくれと拝み倒してフィルムを借りに来たのさ」

「すごいですね……」

「私が知る限り自衛隊で今一番の腕前を持つカメラマンだよ。彼を持っている『あづま』が心底羨《うらや》ましいね。音速越えもある空自にこそ必要な人材なのになぁ」

さも残念そうに首を振り、急に一等空尉は千尋に向き直った。

「彼女なのに知らなかったのかい？」

予想だにしなかった問いを振られて千尋の心臓は跳ね上がった。

「ち、違います！　違うんです私！　吉敷二曹の写真に興味があってそれで……」

話の分かりそうな一等空尉を上目遣いで窺《うかが》う。

「これから狩りにいこうと思ってるところなので、今日のことは内緒にしてください」

一等空尉は吹き出して、了解のサインを手振りで残して帰っていった。

どうやって声をかけるか、ネタならもうある。

休憩時、外で一人になったところを狙って声をかけた。

「あのぅ」

芝生の上に腰を下ろしてペットボトルの日本茶を飲んでいた吉敷に声をかけると、吉敷は怪訝《けげん》そうに千尋を見上げた。だが襟の階級章を見てか一応敬礼をする。

「何か……」

「あ、敬礼しないでください。すごく個人的な話できたので。隣、座っていいですか？」

「あ、どうぞ……」

吉敷の顔からは怪訝な表情が剝《は》がれない。防大出のエリート女三尉が一体俺に何の用だ。顔にそう書いてある。千尋の年頃で三尉など防大卒でないとあり得ない。

それくらいではへこたれない。

「はじめまして。私、矢部千尋っていいます。あなたが思ってる通り、防大出の新米三尉です。あなたは吉敷一馬さんですよね？」

「はぁ……」

まるで野生動物のように警戒心を解かない吉敷に、千尋はごく無造作に爆弾を投げた。

「『ダンディ・ライオン』、拝見しました」

吉敷の目が瞠《みは》られ、頬が見る間に赤く染まった。

＊

○吉敷一馬の場合

矢部千尋と名乗ったその女は、誰も知らないはずのその秘密をいきなり言い放った。

「『ダンディ・ライオン』、拝見しました」

一気に顔が熱くなったのが自分で分かった。

「な、んで、いつ……」

混乱のあまりどもった。カメラ雑誌に写真を投稿していることは誰にも言っていない。その手の雑誌を買うほど写真が好きな奴もカメラが好きな奴も吉敷の周辺にはいないので、その写真のことは誰も知らないはずだった。

顔だけはわりとかわいいその女は、にっこり笑って答えた。

「うちの父も写真をやってるんです。あなたと違ってコンテストにかすりもしない下手の横好きだけど。暮れの休みで実家に帰ったとき、たまたまめくった雑誌にあなたの写真が載ってました」

今さらやっと気がついて吉敷はその女から顔を背けた。この女が持ちかけてきた話題は個人的なことだ――極めて個人的なことだ。なら、いくら階級が上でも応じる義務はない。

「私、写真のことはよく分からないんですけど、とてもいい写真だと思いました」

「それが、何か」

無礼になるかならないかギリギリのところで突っ放す。

「その雑誌で初めて吉敷さんの年を知ったんです、私。こんなにお若い方だなんて思ってなくて、びっくりしました」

ということは、雑誌を見る前にこの女は俺を知っていたということか⁉　一体何がどうなってるんだ！　頭の中は大混乱で、吉敷は沈黙を保った。問い詰めたいことなら山ほどあったが、口下手なこともあって何からどう切り出せば会話になるのやら。

「去年、広報センターで総火演の写真展示をやってらっしゃいましたよね。私、たまたまあれでお名前を存じ上げてて。装備品のショットもすごくお見事だったんですけど、合間に挟まってた自衛官の写真が、とてもいいなと思ったんです。自衛官が懸命に練成してることを閲覧者に伝えてくださってるようで――こんな構成を組む方で二曹なら、叩き上げでかなり年配の方じゃないかと思ってました。今となったら失礼な話ですけど」

ありがとうございます、と言わねばならないのだろうが、言いたくない。展示のときに吉敷が思い入れた構成に気づいたのはこの女が初めてだ。少なくとも、それに気づいて言いにきた奴は。

きっと朝霞の広報センターにまで来るようなマニアは、装備品の写真にしか興味がないのだろう。だが、その装備を運用している人間の顔を見てほしかった。

誰か一人でも気づいてくれたら。その思いを拾ったのが、まさか——防大出エリートというだけで叩き上げには気に食わないこの女だなんて。

「『ダンディ・ライオン』にも総火演の展示のときと同じ思いを感じました。もし、あの写真に籠《こ》められた思いがあるとしたら——」

言うな。

もし、この女が言い当てたら——言い当てたら、俺は一体、

「『不屈』かなって」

畜生。やみくもに反発を覚えた。

「俺は『ダンディ・ライオン』には副題を付けていません。勝手な想像をされるのは迷惑です」

自分でもやばいと思った。階級が上という以前に相手は女だ、きつすぎた。

泣かれたらややこしいことになる——そう思って千尋のほうを窺うと、

千尋は静かな表情でまっすぐ自分を見つめていた。

「それなら、どうしてコンテストに出すんですか？　父が言ってました。この人はいろんなコンテストの常連だって。見た人に何も思われたくないなら出す必要ないでしょう？」

「そんなことは俺の勝手だ」

「私があなたの写真を見て感動するのも、私の勝手です。あなたの思いとは違っていたとしても、これは私が感じた思いです。それを思うなという権利はあなたにありません」

また顔が熱くなる。

「あんたの思いを俺が聞く義務もない！」

もはや階級差もどこかへ吹っ飛んで吐き捨て、吉敷は立ち上がった。

「あなたの写真を好きだと思ったら駄目なんですか⁉」

追い打つように背中にかけられた声には答えることができなかった。


広報部に戻り、何気なく窓際へ歩み寄って下の芝生を見下ろした。

いなくなってくれていればよかったのに、千尋はまだ芝生に座っていた。顔は俯《うつむ》いて、自分の投げ出した足に視線が落ちている。

肩の線も落ちていて、泣いているかどうかはともかく落ち込んでいることは分かった。

こんなときばかりは写真で培った自分の観察力が憎い。

目を逸《そ》らすように吉敷は窓際から離れた。

＊

小さなトゲのように胸に千尋のことが引っかかったまま、数日が過ぎた。

そしてある日の課業後、庁舎の玄関でばったりと千尋と行き会った。

「あ……」

何と言えばいいのか分からないまま吉敷は固まった。先日、もしかしたら泣かせたかもしれない女。しかも階級が上。──どうリアクションすればいいか誰か答えをくれ。

と、先に千尋がにっこり笑った。初めて会った先日のように。

「偶然ですね」

「はぁ……」

「というのはウソです」

「は⁉」

「吉敷さんが出てくるまで張ってました。私、通信群だから庁舎違うんですよね」

何だかこの女には気遣いという単語そのものが必要ないような気がしてきた。

「何かご用ですか」

「お時間あったらお茶でもできないかと思って」

「命令なら従いますが」

そう返すと、――やばい。やっぱり最低限の気遣いは必要だった。

千尋はざっくり傷ついた顔をしていた。

「命令だったら吉敷さんとは呼びません」

そんなことは分かっていたのにわざとそんなことを言った。千尋は先日も吉敷のことは一度も階級で呼ばなかったのに。階級が下の吉敷に、最後の一言を投げ終えるまでずっと敬語で話していたのに。――俺って最低だ。

「この前、アプローチを間違えたみたいだからリカバリーできたらいいなと思ったんですけど……無理みたいだから、帰ります」

千尋はぺこりと頭を下げた。階級が三つ下の吉敷に向かって。

すみません。頭を下げなきゃいけないのは俺なのに。

あなたは俺の写真を好きだと言いにきてくれたのに。

誰かに伝わってほしいと思ってシャッターを切っていた。でも自分の写真にそんな力はないと思っていた。自分と同じ思いが伝わるなんて。

だから伝わった相手がいきなり現れて動揺した。

動揺したまま、三つは年下の女に何の加減もなくそれをぶつけた。俺はガキか。

階段からどやどやと広報部の同僚や先輩が下りてきた。

「おっ、何だ吉敷！　女の子泣かせてるのか！」

「悪いやっちゃ！」「つーかおい、階級上じゃねえか！　ナニ頭下げさせてんだァ？」

こういうことでからかわれ慣れていないのでますます吉敷は固まった。

黙っててください、俺は少なくとも今この人に謝らないと、

「違うんです」

頭を下げていた千尋が一回だけ袖《そで》で顔を拭《ぬぐ》って頭を上げ、そのときにはもう笑顔だった。

少しだけ鼻の頭が赤い。

「告白して振られちゃっただけなんです。恋愛って階級関係ないでしょう？　私はタイプじゃないそうなので、潔く撤退します」

冗談めかしてそう言って、千尋は下りてきた男どもに会釈を残す余裕で踵《きびす》を返した。

「うわー、お前アレ振っちゃったの？　もったいねえ、けっこうカワイイじゃん」

吉敷は周りの冷やかしをまったく聞いていなかった。

今。

今追いかけて振り向かせたら絶対泣いてる。走り出したいのをぐっと抑えているような歩調。やけに背筋の伸びた後ろ姿。

あれは、泣いている背中だ。

「今からでも追いかけてきたら？」

つつかれて、――そうしますと乗れるような性格じゃない。

「告白なんて冗談ですよ。写真が気に入ったって言いにきてくれただけです」

嘘だ。本当はひどいことを言って泣かせた。私服に着替えたら、ただ年下なだけになる女の子に、職場で気まずくならないようなフォローまでもらって。


命令なら従いますが。


自分の台詞《せりふ》で胸が痛くなる。

屈託のない好意で出会い直しにきてくれた彼女に、自分は一体何てひどいことを言ったのか。

時間を巻き戻せるなら巻き戻したかった。

＊

自分から門を閉ざしたのだから当然だが、千尋から訪ねてくることはもうなかった。

ガッツはありそうな女だったが、さすがに二度目のあしらいは痛すぎただろう。

そして散々に傷つけた今さら、吉敷のほうは千尋のことを忘れられなくなっている。

所属は通信群だと言っていた。その庁舎の前まで何度か行ってみたこともある。だが、千尋が出てくるのが恐くて早々に逃げ帰った。

自分は二度もひどいあしらいで傷つけて、そのうえ更に千尋と会うのが恐いだなんて。どんなチキンだ。

だが、どの面下げて今さら会いにいけるというのか。

そうして一ヶ月も経っただろうか。

また写真の展示をしたいので、適当に見繕って持ってきてくれと広報センターから依頼がきた。珍しくないことなのでストックの中から何枚か選んで持っていく。小規模な展示なので向こうで選んだものをパネルに焼いて渡す手順だ。

写真を届けて駐屯地に戻り、庁舎に戻っている途中で——吉敷は反射的に物陰に隠れた。どうやらお遣いの途中らしい千尋が、どこから紛れ込んできたのやら沿道で昼寝をしていた猫をかまっていた。

笑顔だったことにほっとした。

それとも、まだ傷ついているのではなんて心配のほうが思い上がりか。千尋はさっさと切り替えて吉敷のことなど眼中から放り出したかもしれない。

だが、

吉敷は自分の帰る庁舎を見上げた。――ここなら狙える。

千尋に見つからないようにその場所は迂回《うかい》して、吉敷は走って広報部に戻った。


広報部に戻り、吉敷はカメラバッグを出した。

「すみません、ちょっとカメラの調整してきます」

室内に声をかけ、また外に出て走る。狙った廊下の窓まで。

頼む。まだいてくれ。いてください。

遠景でまだしゃがみ込んでいる千尋が見えた。気づかれない程度の距離、千尋を斜め上から見下ろす位置。そこで止まってカメラバッグを開けた。

一番手に馴染《なじ》んだニコンと望遠。手早くレンズを交換する。

外の景色を撮っているように見せかけて、――千尋にピントを合わせた。猫をかまって無邪気に笑っている表情に。

シャッターを何回か切る。そのうちに目が離せなくなった。くるくると変わる表情。

あんたはもっといい顔が出る。もっと。もっと。もっとだ。

近くで撮れたら。指示を出せるほど。そんな資格はもうとっくに失っているけれど。

もしかすると近くに寄ったらもう強《こわ》ばった表情しか撮れないのかもしれないけれど。

今さら俺から手を伸ばしても払いのけられるのかもしれないけれど。

千尋がなにか気配を感じたのか、上を見上げそうになった。慌てて屋内に隠れる。壁にもたれて座り込む。

「ストーカーかよ、俺」

自嘲《じちよう》のような笑みが漏れる。

だが、彼女がまだ自分の写真を好きだと思ってくれるなら。

少なくとも、謝罪の気持ちは伝えたかった。

焼いた中で、一番気に入った一枚を選んだ。

屈託のない、それでいて大胆な性格がよく出ている表情だった。

もっと美人に撮れている写真もあったが敢《あ》えてそれにした。一番彼女らしく撮れているのはそれだった。

*

○二人の場合

女性幹部隊舎で千尋宛に届いたのは、味も素っ気もない書類封筒だった。

千尋はそれを隊舎の隊長から受け取った。

宛名は『通信群　矢部千尋三尉殿』。

「何かねえ、広報の男の子だかが届けに来たわよ」

その一言で分かった。

裏を返すと案の定、差出人は『広報部　吉敷一馬二曹』。

あまりにも素っ気ない封筒だったので、吉敷を男の子呼ばわりできる年齢の隊長は何の不審も持たずに仕事関係の届け物だと思っているらしい。

「ありがとうございます」

受け取った千尋は部屋まで走りたいのをこらえて廊下を歩いた。


部屋に戻って書類封筒を封じた紐《ひも》をもどかしくほどく。

頭の中には色んな感情が渦巻いている。

あんなにきっぱり拒否されたはずなのに。どうして今さらこんな意味深なこと。

でも、あんなことがあったのに、吉敷からリアクションがあったことが嬉《うれ》しい。

あれだけ冷たく突き放して、このうえ更に突き放すためなら今さら連絡をつけようとはしないだろう。

だとすれば、少なくともこの封筒は、傷つけるために託されたものではない。

あんな写真を撮る人が、今さら重ねて傷つけるために何かを託したりはしない。

踏まれたダンディ・ライオンが天を仰ぎ、飛び立ったその瞬間を切り取るような人が。

だから、この封筒の中には、少なくとも彼の誠意が入っているはずだ。

ようやく開いた封筒の中には、——自分の笑顔が入っていた。

引き出すと四つ切りの写真である。その写真一枚、他には何も入っていない。

いつの写真か分かる。何日か前に、駐屯地に入り込んできた猫をかまった。そのときの写真だ。一応失恋してたった一ヶ月の身で、これほど明るく笑えたことは他に覚えがない。

いつの間に。どこから。それより何より——

どうして私にこんな写真送ってくるの？　あなたに私がこんなふうに見えてるってことなの？　お茶に誘ったら「命令なら従いますが」って言ったあなたがどうして？

どうしてあなたのファインダーの中で私がこんなにかわいく撮れてるの？

ふと気づいて裏を返すと、走り書きのような薄い字でメッセージがあった。

気に入らなかったら捨ててください。

もし気に入ったら〇〇〇—〇〇〇〇—〇〇〇〇マデ。

一も二もなく携帯からその番号に電話した。

まるで待ち受けていたように、コールは一回半で繋《つな》がった。

「あ、あの……」

そこから先、何を言っていいのか分からない。言葉が止まった千尋に、相手から応答があった。

「矢部千尋さんですか？」

耳元で聞こえた声に座ったまま腰が抜けた。少しかすれた低い声。耳元で聞くとやはり甘い。

はい、と答えるだけで精一杯だった。

「お電話ありがとうございます。吉敷です」

「はい」

「黙って撮ってすみません。でも、気に入ってもらえたと思っていいですか」

「はい」

でもどうして、とやっと「はい」以外の言葉が出た。

「ずっと謝りたかったんです。──話、聞いてもらえますか」

「はい」

「ひどいこと言ってすみませんでした。最初のとき『ダンディ・ライオン』のこと言われたからびっくりして頭に血が昇って……」

吉敷は口籠もりながら言葉を探しているようだった。

「俺、写真の投稿してること、誰にも言ってなかったから、何でこの人が知ってんだってすげぇパニックになっちゃって。それも誉められるとか」

「でも、すごくお上手なんでしょう？　フィルム借りに来てた一等空尉が言ってました」

「何で知ってるんですか」

しまった口が滑った。

「……最初のときにお話ししたとおりです。てっきりおじさんだと思ってたら若い方で、その人があんな写真を撮られたって分かって、どんな人かすごく知りたくなって……広報部の辺りを張ってました、ごめんなさい」

「いいです謝らないでください。あなたに謝られたら俺すげぇ痛い」

早口に押しとどめられて、千尋はまた聞く側に戻った。

「技術は誉められ慣れてます。速写も構図も。でもあなたは、俺が技術で撮った写真じゃなくて、素で撮った写真を誉めにきたから。俺、写真が好きですけど、自分の写真で誰かに何かが伝わるなんて思ってなかったんです。それなのにあなた全部重なってたんです、俺の気持ちと。他にもたくさん言葉はあるのに、『不屈』って二文字まで当てられてカッとなって、どうしたらいいか分からなくなって。……あなたの言ったとおりです。誰にも伝えたくないなら投稿なんかしなきゃいい。俺は誰かに伝わってほしいと思いながら、俺の写真じゃ伝わらないと思ってた。だって、俺の写真は技術だけだから」

技術を持っていればこそ、その思い込みから逃れられなかったのだろうか。吉敷は屈折した感情を苦労しながら吐露していた。

「そう思ってたところに何かすげぇダイレクトに伝わっちゃった人がさて、逆上――うん、逆上っていうのが一番近いです。逆上して突っ放しちゃったっていうか。俺にとっては、現れるはずがない人だったんです、あなたは」

「吉敷さんがそう思い込んでるだけですよ。だって空自の人、言ってた。二度目のナイフエッジ、アドリブだったのに来るって読んで撮ったって。退官するパイロットが限界まで自分の技を披露したいって気持ちが分かってなかったらそんなの読めない」

勘弁してください、と電話の向こうから困惑しきった声が聞こえた。

「屈託なさすぎてそれも眩《まぶ》しいんです。俺はずっと、自分のこと技術だけだって僻《ひが》んでたから」

何だか自分の言葉はすべて吉敷を傷つけているような気がして、悲しくなった。いっそもう何も言うまい、と唇を噛《か》む。

「あなたは最初から屈託なくって、元気で、だから何か、何言っても大丈夫じゃないかって……そんなわけないのにあんなこと」

命令なら従います。

あのときの口調は思い出すと未《いま》だに痛い。自分が命令できる階級にあるだけに。

「そんで、あんなひどいこと言ったくせに俺、あなたが傷ついたって分かった途端あなたのことが忘れられなくなって……謝って、もう一回ちゃんと最初から話せたらってずっと思ってて、だけどあなたみたいに庁舎の前で待ったりとかできなくて」

それで悶々《もんもん》としてたときに、あなたが猫と遊んでるところを見かけたんです。ようやく吉敷の話はそこまでたどり着いた。

「それで、きっかけを作るなら俺には写真しかないって思って。ダッシュでカメラ取ってきて望遠で狙って。すみません、ストーカーみたいですね」

「いいえ」

嬉しかったです。嫌われたと思ってた人にこんなにかわいく撮ってもらえて。

でもそれも屈託がなくて痛いと思われるのだろうか？

吉敷のほうも黙り込んだので、喋《しゃべ》ってもいいのだろうか。

考えに考えて、疑問形にした。

「吉敷さんには、私はこの写真みたいに見えてるんですか？」

吉敷は一瞬言葉に詰まってから、「はい」と答えた。

「撮ってて夢中になりました。それが自分で一番気に入った一枚です。あなたに気づかれそうになって慌てて引っ込みましたけど、許されるものならずっと撮ってたかった」

それって——写真が好きっていうあなたにとってはどういう意味だろう。

また沈黙になったが、千尋の側は腹が括《くく》れてきた。

吉敷は気に入ったら電話を掛けてこいと走り書いた。そして千尋は電話を掛けた。後は吉敷が話をまとめるだろう。自分がまとめたいように。

「変な意味に取られると困るんですけど、……女性を撮って楽しいと思ったのはあなたが初めてなんです。許されるものならもっと近くで、いろいろ話をしながら撮りたかった」

許されるものなら、という言葉は二回目だ。

「それは……撮ってどうしたいんですか？　たとえば、コンテストに送ったりとかされるのはイヤなんですけど」

「……そんなこと考えてもみませんでした。……撮ってどうしたいんだろう、俺」

それはこっちが訊《き》いてるんだけどな、と思ったが、吉敷が口下手なことはもう分かっているので黙って待つ。

「ああそうか。単に撮りたいんですよ。あなたの一番いい表情を俺が撮りたい。そんで、焼いた写真をあなたに見せたいんです」

ああもう。そろそろ我慢の限界だ。

あなたが何度も言う私の武器を使わせてもらいます。

明るい声で屈託なく。

「被写体としての私にしか興味がないならお断りです」

「そんなわけ……ないじゃないですか！　そんな言い方してません、それに女性を撮ったのはそれが初めてで！　撮るしか興味ないなら傷つけてこんなに後悔しません！」

何でこんなに一生懸命喋ってるのに通じないんだろう、と吉敷がへこんだ声を出した。

千尋はまた笑ってすっぱり言った。

「話が回りくどいからです。それと、階級差が関係ない話をしてるのに、吉敷さんが私に敬語を使ってるからです」

「あなたも俺に敬語じゃないですか」

「階級差が関係なかったら残るのは年齢差でしょ？　私は年下だから、年上のあなたには敬語で話します。だって友達でも恋人でもないから」

そこにたどり着く言葉は私からはもう絶対言えない。あなたが取り上げた。

「私はもう言えないんです。ホントはすごくすごくすごく言いたかったけど。写真で惹かれて、あなたを捜して、ホントはすごく言いたくて近づきたかったんだけど、もう私には呪いがかかっちゃったから」

命令なら付き合います。

少しかすれた低い声で。千尋の好きなあの甘い声で冷たくそう言われた。思い出すたびに泣けた。好きな人ができて追いかけているだけのつもりだったのに、千尋の言葉は命令だと相手が思えば命令になってしまうのだ。

対象外だとはっきり宣告されたと思った。

「だから私はもう何も言えないんです」

あくまで明るく言い放すと、吉敷が困り切ったような声で言った。

「頼む、泣かないで。君に泣かれんの今一番きつい。あのときの君の顔、思い出すたびに胸が痛くなる。傷つけといて言うことじゃないんだけど、人生で一番後悔した」

「別に泣いてませんよ？」

「あのさ。さすがにそれでごまかされるほど俺もちょろくないからさ」

吉敷が小さく咳払《せきばら》いした。

「ひどいこと言ってごめん。今さらかもしれないけど……遅いかもしれないけど君が好きです。俺の写真に気づいてくれた君が好きです。付き合ってください」

そう言って、吉敷は溜息《ためいき》をついた。

「敬語なのは勘弁して。年下でも好きな女の子に告白するとき、タメ口利けるほどキャラくだけてないんだ」

うん、と千尋も頷いた。

「もう、絶対、命令とか階級とか言わないで」

そして千尋はようやく電話口で泣いた。

そんなの関係なくて好きになったの。嗚咽《おえつ》混じりに訴えると、吉敷から何度もごめんと返ってきた。今そばに行きたかった。そうも言ってくれたが、もう消灯時間は過ぎていた。

＊

カメラを扱う吉敷の手は彫りが深くて色気があった。

その手で触れられる特権を千尋が覚えた頃から吉敷は少しずつ変わっていった。いつのまにか吉敷の周囲の人々は、吉敷が写真誌への投稿を趣味にしていることを知るようになった。入賞したときなどは身近な人が祝いの言葉をかけてくれたりもするらしい。

千尋と付き合いはじめてから変わった、などと吉敷が語ったことはない。ただいつのまにか変わっている。それだけだ。

千尋ちゃんと付き合いだしてから丸くなった、などと外野に言われると不機嫌そうな顔になる。照れていると分かるのは千尋だけだ。

そしてそんなふうに付き合って三年ほどが過ぎた頃——転機が一つ訪れた。

吉敷の所属する広報部で人員を増やし、チームを編成し直すことになった。募集は朝霞の中でかけるらしい。

「千尋、志望したんだって？」

お互いもう素で付き合えるようになり、吉敷も口数が少ないことや愛想が人より少なめなことを無理して繕わないようになっていた。

デートのときの吉敷からのその問いかけが不機嫌そうだと分かるのも、無愛想な吉敷と付き合ってきた成果である。

「志望したけど、それが何か？」

「……何で志望したの」

「何でって……」

説明すると長くなる。

口籠もったのをどういう方向に捉《とら》えたのか、吉敷の表情はもっと不機嫌になった。

「もし、俺と一緒の部署になりたいとかで志望したんだったらすげーメーワク。同じ部署に彼女いると仕事やりづらいし」

あっ、見くびったな。カチンときて千尋も戦闘モードに入る。

「一馬は私が『カレシと一緒の部署で働きた～い』って広報志望するような色ボケ女だと思ってたんだ？」

「そうは言ってないけど……もしって話だけど」

千尋の地雷を踏むと途端に弱腰になるところがかわいいところではある。

「仮定の話でも、それ私にすっごく失礼。私、今は通信群だけど、別にそれ第一志望じゃなかったから。もともと配属希望は広報に出してたんだから」

そもそも私が何で最初に一馬の写真に惹かれたと思ってるの。

もはや説教口調の千尋に、吉敷が居心地悪そうに身じろぎする。

「一馬が裏方の自衛官撮った写真見て、顔も年齢も知らないのにいいなって思ったんだよ。一馬は写真って表現方法があるけど、特別な技術がなくても私だってそういうの伝えたいって気持ちは最初から持ってたんだから。そうじゃなかったら展示見ただけで一馬の名前を覚えてたりしない。自分は表現できる技術があるからって……どうせ私は突出した何かなんて持ってないけど」

最後はちょっと僻《ひが》みが入る。

「そんな浮ついた気持ちで志望したと思われてたなんて心外」

「……ごめん」

「ちょっとは私情も混じってたけど」

「私情って……」

「一馬の写真に、私が記事つけられたらいいなって思った。一馬の写真に入ってる気持ち、私が書けたらなって思った」

思い上がりかもしれないけど、一馬が写真に籠めてる気持ちだったら私が一番分かるって思ったし。

そう言うと、吉敷は肩を落として顔を伏せてしまった。反省のポーズだ。

「……ホントにごめん」

「いいよ。許す」

「千尋の第一志望とか聞いたことなかったから」

「だからもういいってば。別に今の配属にも不満があるわけじゃないし。私だってこんな話はしたことなかったし」

しょげてしまった吉敷は、三つ年上とは思えないほどかわいい。適当に伸ばしっぱなしの髪を思わずぽんぽんと叩いてしまう。

「それは子供扱いしすぎだろ」

吉敷は千尋の手を手加減しながら振り払い、顔を上げた。少し顔が赤い。

「そういう話だったら、千尋は記者向きだと思う。物怖《ものお》じしないし、人見知りしないし、好奇心も旺盛《おうせい》だし、人好きする愛嬌《あいきょう》があるから取材相手にも入り込みやすいだろうし」

最初は小さな仕事しか任されないだろうけど、と付け加えて吉敷はもう冷めたコーヒーをすすった。

「来たら歓迎する」

「ありがと」

千尋のほうが多弁だからか、吉敷の包容力があるためか、喧嘩《けんか》が短く終わるのも吉敷のいいところだった。

組めたらいいな。組めたらいいね。

そのときは完全に、おそらくは叶《かな》わないであろう夢として話していた。


結果として千尋は数人採用された広報要員の一人となった。

しかも組んだ相手は──吉敷である。

「……叶っちゃった、ね」

「……ああ」

二人とも半ば呆然《ぼうぜん》として呟《つぶや》いた。

総火演や基地祭など、優秀なカメラマンが必要なときは吉敷がそちらに回されることになるが、基本的には千尋と吉敷の編成である。大規模イベントのときは千尋も修業がてら発表しないことが前提の記事を作らせてもらえることになった。

「そこ、仲睦《なかむつ》まじいのは知ってるが公私混同はしないようになー」

広報部長から言わずもがなの釘《くぎ》を刺され、「当たり前です！」と揃って嚙《か》みついたのは今でも広報部の笑い話だ。

そして千尋に専門で任されたのはコラムのコーナーだった。

第一空挺《くうてい》団の大隊長を第一回にしたい、と千尋が言ったのは吉敷が空挺の大隊長と懇意であることを今までの話で知っていたからである。

「それ、『私』で得た情報じゃないの」

吉敷は渋い顔をしていたが、理路整然と空挺団を第一回に持ってくるメリットを説き、情報のアンテナは公私ともに張り巡らせて然《しか》るべきだと主張した千尋に折れた。

そして吉敷は空挺の大隊長に連絡を取っている。

「……二尉になりたてのぺーぺーですよ。年は自分より三つほど下だったから二十七ですか」

千尋はそのそばに張り付いて吉敷の取材交渉に聞き耳を立てている。

「人員不足プラス本人の意欲ってところでしょうか。取《と》り敢《あ》えずサブで入って当たり障りのないコーナーから仕事を覚えさせるってことらしいですよ。前任もまだ残ってますし、そっちはそっちでまた写真担当の新人が就いてます。上は記者と写真と同時に促成しようって腹のようで。……別にそんなことはありませんが。それより我が身を心配されたほうがいいですよ」

吉敷が電話を切った途端、千尋は文句をつけた。

「何で最後にあんな余計な忠告入れるのー」

「……今村《いまむら》二佐とは付き合いも長いし。あの人にいきなりお前をぶつけるのは酷だ」

「不意打ちで急襲するのも戦略よ⁉」

「……俺にも付き合いとか信用とか人脈とかいろいろあるんだよ。ギリギリの兼ね合いの結果だ、文句あるなら俺のツテ使うな」

「分かった。そっちが正論、認める」

そして、習志野《ならしの》第一空挺団大隊長、今村和久《かずひさ》二佐に取材をかけたことはまた別の物語となる。

Fin.

単行本版あとがき

この本は自衛隊ラブコメシリーズの第二弾となります。

第一弾となった『クジラの彼』で開き直ったのが功を奏したか、今ではかなりこっぱずかしい胸キュンを書いても「まあ有川だからな」と許してもらえることが多くなりました。お心の広い読者様に感謝します。カミングアウトしておいてよかった……！

では恒例のと言いますか何と言いますか。

・ラブコメ今昔

厚木基地に取材に行かせてもらった折、最初にご挨拶《あいさつ》した偉い方を捕まえて奥様との馴《な》れ初《そ》めを微に入り細に入り聞き出しました。今名刺を確認したら二佐ですよおいおい。物を知らないということは強いというか恐ろしいというか。そんなわけでモデルはそのときの二佐の方とご案内してくださった広報担当の尉官の方です。ちょっと厳しい視点が入っているのはこのお二方からベテランならではの率直なお話を伺ったことが印象に残ってのことだと思います。

ちなみにこの広報担当の方は『ファントム無頼』に憧《あこが》れてパイロットを目指したという

お茶目な一面も持つ方で、厚木取材時には周囲の若い隊員さんと角川担当さん置いてけぼりにして新谷《しんたに》漫画の話で盛り上がりました。いろいろよくしていただいたので他の話でもちょこちょこモデルになって頂きました。

・軍事とオタクと彼

タイトルの元ネタとなった歌のようにカワイイ話にしたかったのですが、何をどう間違ったかこんなことに（ライブ派にはままあることです）。直接お会いしたことはないのですが作家仲間さんのお友達に自衛官さんがおられて、その方の逸話がとても面白くてキュートでしかも真摯《しんし》で、一瞬でキャラクターが見えました。「ぜひ！　ぜひともその方をモデルに書かせてください！」とご本人ではなく作家さんにせがんで書かせて頂きました。作家さんが氏の逸話を色々聞かせてくださったので許可は出たものとする（もちろん機密に触れない逸話ですよー）。

・広報官、走る！

当時の海幕広報室に取材に行ったときの広報室長さん、『ラブコメ今昔』でもお世話になった広報さん、そしてお二人の部下だった若手幹部広報さんがそのまんまモデルです。いや、自衛官の方ってお会いして話すととても魅力的な方が多く、勝手にキャラが見えてしまうこと多々ありでして。特に稲崎《いなざき》のモデルにさせて頂いた方はそのままに近く、海自の艦上パーティーにお邪魔したときも惚《ほ》れ惚《ぼ》れするようなモテっぷりでした。広報官には女ったらしが向いている、というのはその方のご意見でしたが、納得です。つーか臆面《おくめん》もなく自分のことだよこの人！

しかし主人公のモデルとなった若手幹部さんのために言い添えておきますが、あれはその方流の表現で実際は弓田《ゆみた》が言ったような意味です本当です。でも来客の前でそうやってからかわれている姿がかわいらしくも面白かったのでスラスラこういう話になりました。

・青い衝撃

おお、こんな引出しもあったんか。と作者本人もちょっと驚きのお話でした。空白を書くからには一度はブルーを出さんとな、と思ってたんですが、もうちょっとスカッと爽快《そうかい》な話になると思ってました。つくづくライブ派はコントロールが利かんなぁ（ところで「そうかい」と打って第一変換が「掃海」になるうちのATOKはいかがなものか）。

作中でも書きましたがブルーインパルスの曲技には高度を使う大技も含まれるので天候は本当に祈るしかないところで。雲が低いときでも水平曲技は見せてくれますが。ファンの様子はやや誇張して書いてますが、女性ファンも多いことは確かです。

ちなみにバーティカル・キューピッドの失敗と雨天時の地上滑走は見たことがありま

す。

・秘め事

特にパイロット職の方に伺うと必ず出てくるお話が、「訓練中の事故死は多い。自分の同期はもう半分残っていない」というようなものでした。それが私と人して年も変わらない（どころか年下だったりする）方から出てくることも再三で。

そうなると、そうしたエピソードも書かなきゃなるまいな、と。そこまで話してくださったんだからそれは書く者の義務だな、と。その話を聞かせてくださった方は、やっぱり上官の娘さんと内緒でお付き合いして幸せな結婚に至ったそうですが、白状するときはかなり気まずい思いをなさったとのことでした。

ごく男前なのに何故か合コンやナンパでは連戦連敗だったそうで、そこもキャラが立ちやすい方でした。つーか会う方会う方絨毯《じゅうたん》爆撃でキャラクターにしてないか私。

・ダンディ・ライオン～またはラブコメ今昔イマドキ編～

これはボーナス・トラック的に『ラブコメ今昔』から千尋《ちひろ》と吉敷《よしき》の話です。この二人はどんなふうに恋が始まったんだろうなぁ、と覗《のぞ》いてみたらこんなんでした。意外とヘタレだったんだな吉敷。でもこの二人を追いかけるのは楽しかったです。

さて、枚数も尽きてきましたところで。

色んなお話を聞かせてくれて、色んな勉強をさせてくださった自衛隊の皆さんに感謝を。

読んでくださった方に感謝を。

願わくば楽しんで頂けますように。

また何かネタが溜《た》まったらこうしたものを書かせてもらえるといいなぁ、と角川書店の方角に向かって祈っておきます。

有川　浩

文庫版あとがき

これを書いていた頃とはまったく社会の情勢が変わってきましたが、自衛隊に関しては声を大にして言っておきたいことがあります。

自衛隊は命令に従うことしか許されない組織です。そしてその命令を出すのは内閣総理大臣です。

逆に言えば総理大臣が出す命令ならどんな命令でも従わなくてはならないということで、近年は非常に歯がゆい命令が多すぎました。

しかし、どんな理不尽な命令でも、彼らは命を懸けるんです。

これは警察も消防も同じだと思います。東北が苦難に見舞われたあの日、明らかに消防の職分であるはずの現場に機動隊が投入された一件に関しては、きっと疑問を覚えた方も大勢いらっしゃることでしょう。

機動隊は治安維持のエキスパートであって、消防のエキスパートではありません。適切な装備も持ってはいません。

適材適所という原則が無視されたことには未《いま》だに首を傾げざるを得ません。

あんな大変なときに一番働きづらい体制で本当に申し訳なかった。そんなことになってしまったのは国民全員の責任です。

それでも私たちを見捨てないでいてくれてありがとう。

大変なことが起こったときに、一番大変なところへ赴いていてくれることに感謝します。

それを「仕事ですから」と誇ることさえせずに命を懸けるすべての人々が、正しく報われる世の中であってほしいと思います。

有川　浩

解説

誉田哲也

普段、何気なく使っている言葉。

当たり前のことだが、そのすべてに由来はある。

まあ、それを知ったところで「ああそうなんだ」と、さして面白く思わないものもあるが、中には「へぇェーッ、そうなんだァーッ」と思わず手を叩《たた》き、「ねえねえ、知ってる知ってる？」と他人に訊《き》いて回りたくなるものもある。

たとえば「ゴキブリ」。語源は「御器齧《ごきかぶ》り」。「御器」は「お椀《わん》」のことであり、残飯のみならずお椀まで齧《かじ》る、というところからきているらしい。のっけから不快指数の高い喩《たと》えで申し訳ないが、奴らの獰猛《どうもう》さと図々《ずうずう》しさがよく表れたネーミングだと、私は思う。

では他の例も。

私は警察小説書きだけど、プロになるまで「デカ」の由来を知らなかった。これは明治時代、制服ではなく和服を着ていた刑事巡査を「角袖《かくそで》巡査」と呼び、それを犯罪者が「カクソデ→クソデカ→糞《くそ》デカ」と揶揄《やゆ》し、それが詰まって「デカ」となったようである。おや、図らずもまた汚い話になってしまったような。失敬。

　では、次はちょっと華やかな芸能界の話。売れっ子との抱き合わせで起用された格下タレントが、よく「あたしは○○のバーターだから」と自嘲《じちょう》気味にいうのを聞く。あれ、私は英語の「barter」からきていて、「○○を出演させるからこいつも使って」という「交換」条件的意味合いでいっているのだと思っていたら、どうやら違うらしい。「バーター」は芸能界風に「束」を逆さにして読んだだけ。「○○を呼んだら、束で△△もついてくる」という意味なのだとか。うん、こっちの方が表現としても面白い。

　そういった意味では「小説」という言葉も、かなり不思議。なんで「大説」も「中説」もすっ飛ばして「小説」なの？　ひょっとして「大説」ってものもあるの？　と疑問は尽きない。まあ今の時代、その程度のことはちょっとググればすぐに分かることだけど。

　そう。どうやら、そもそもは「大説」というものもあったようなのである。ならば「小説」とはいかなるものか。

　この問いに対する答えは後回しにするが、その「小説」の定義について考えていくと、有川浩という作家がいかに正統派の「小説家」であるかが見えてくる。

　それはむろん、この『ラブコメ今昔』という短編集にも色濃く表れている。

　初《しょ》っ端《ぱな》の「ラブコメ今昔」はこんな話。

陸上自衛隊の第一空挺《くうてい》団・大隊長である今村和久二等陸佐はある日、隊内紙『あづま』から取材のオファーを受けるが、その内容はなんと、自身の恋愛や結婚観について語ってくれ、というものだった。むろん、今村は「冗談じゃない！」と突《つ》っ撥《ぱ》ねる。「五十も過ぎたおっさんが古女房との馴れ初めなんぞ隊内紙でべらべら垂れ流せるか、みっともない！」

しかもその企画を今村にぶつけてきたのは、記者になりたてのうら若き二等陸尉、矢部千尋。「千と千尋の神隠しの『ちひろ』で覚えてください」などと自分からいってしまう、中途半端に芸風が出来上がった女子。

今村は千尋の存在を煩わしく思いつつ、しかしいつのまにか、その古女房との馴《な》れ初《そ》めを思い返し始める——。

次の「軍事とオタクと彼」はこんな話。

当時二十五歳だった桜木歌穂は、出張帰りの新幹線の中で席を譲ってくれた男子に恋をする。五日にわたる出張で疲れ果てていた。そんなときに席を譲られてコロッときた——面もないわけではないけれど、それを差し引いても彼は、その車中のやり取りだけで終わるには惜しいキャラだった。

二人の交際は、歌穂が新大阪で降りる間際に渡した名刺をきっかけにスタートする。

小柄で童顔で晩熟《おくて》だけど、海上自衛隊員というだけあってちょいちょい逞《たくま》しさを覗《のぞ》かせる、それでいて中毒性をはらむ笑顔が可愛すぎる彼、森下光隆。しかし光隆は、歌穂より二つ年下であるとか、女慣れしていない自衛官であるとか、佐世保基地勤務だからどうしても遠距離になるとか、いくつかのマイナス条件を考慮してもなお、ちょっと変だった。友達以上の感触はあるのに、こっちは空気も充分作ってるはずなのに、一年経ってもまだ告白すらしてこない。なぜだ。船乗りだから、港々に女がいるのか。あるいはそもそも女に興味がないのか。ひょっとして、同じ隊にいる男性隊員が恋人だとか——。

三つ目の「広報官、走る！」はこんな話。

防衛省幕僚監部広報室に籍を置く政屋征夫は、『開かれた自衛隊』をアピールする目的で上官が協力を決定した、とあるドラマ撮影の段取りに奔走する。そんな中で政屋は、自衛隊との連絡係を担当しますというＡＤ、鹿野汐里と出会う。この汐里が地味めの美人で、けっこう政屋の好みだったりする。

当たり前のことだが、テレビ局の目的は『開かれた自衛隊』のアピールなどではないので、むろん好き勝手に隊を利用しようとする。だが隊は隊で、通常業務のスケジュールを無理やり調整して協力している関係上、撮影スタッフや演者のわがままに付き合うのにも限度がある。

自衛隊側に、一方的に募っていくフラストレーション。政屋は迷う。隊が不利益を被ると分かっている要求を呑《の》むことはできない。だが無下に拒否すれば、調整役でもある汐里の立場が悪くなる。どうする、男ならこんなとき――。

四つ目の「青い衝撃」はこんな話。

相田公恵の夫、紘司は航空自衛隊の花形「ブルーインパルス」のパイロット。青い制服で身を固めた彼は、展示飛行（いわゆる航空ショーですな）終了後にはファンに囲まれてサイン責め、握手責めにあうほどの人気者。

しかし公恵はある日、そんなファンの一人が妙な目で自分を見ていることに気づく。ロングヘアを軽く縦に巻いたその美人は、意味ありげに微笑む。なんだろう、勝ち誇ったような笑みは――。

やがて公恵の手元に、展示飛行のたびに不気味なメッセージが届くようになる。あろうことか、紘司の制服の後ろ襟にメモ紙を仕込むという嫌らしい手口で。

『あなたにだったら、勝てそう』

『今日も紘司さんは素敵でした』

『紘司さんのお話はとても楽しいです』

単なる嫌がらせであることは分かっている。自分は紘司を信じている。けど、本当はどうなの？

　幸せだった家庭に忍び寄る、不気味な女の影——。

　五つ目の「秘め事」はこんな感じ。

　先のブルーインパルスほどではないけれど、陸自の中では比較的航空部隊で有名な明野駐屯地。そこの第十飛行隊所属の手島岳彦二尉は、上官の水田章介三佐から奇妙な頼み事をされる。

「うちの娘の友達でなぁ、自衛隊がとにかく好きって変わった女の子がいるんだよ。で、自衛官の彼氏が欲しいらしくて娘が紹介を頼まれてな」

　果たして手島はそのプチお見合い企画に乗り、まずは彼女のたっての希望で休日の駐屯地を案内することになった。

　だが、この企画はいきなり失敗に終わる。

　水田三佐の娘、水田有季が連れてきた友達、森島朱美は、とてもではないが手島の手に負えるような女の子ではなかった。とにかくテンション高止まりの朱美は、基地に入ったあとはやりたい放題。欲望の赴くまま気の向くまま、辺りの装備品を写真に収め、通りかかった隊員を勝手に捕まえては話し込み、最終的には手島の後輩である戦闘ヘリのパイロットを逆ナン（？）してしまうという奔放ぶり。

でも、それでも手島が凹《へこ》むことはさしてなかった。なぜなら、手島にとっては朱美よりも、そんなちょっと困った友達のことを必死にフォローをしようとする水田有季の方が、奥ゆかしくて好感が持てたからだ。

後日、後輩戦闘ヘリのパイロットのたっての頼みで、あくまでも後輩のため、朱美に繋《つな》ぎをつけるという名目で、手島は有季と連絡をとり始める。そしてそのやり取りの中で、手島は有季も同じ気持ちだったことを知る。

図らずも、秘密裏に上官の娘と交際することになった手島。初心《うぶ》な二人の、じりじりとした、それでいていじらしいほど真面目な交際。それはそれでよしとするにしても、いつ、水田三佐に交際について報告するかは大きな問題だった——。

六つ目の「ダンディ・ライオン」は、もうネタバレなしにあらすじを書くことすら不可能なので、ここでは割愛する。

もはやいうまでもないことだが、有川浩は自身を「大人向けのライトノベル」作家であると語っており、実際、作中で交わされる会話や視点人物の語り（いわゆる「地の文」）の軽快さが持ち味になっている。また男視点もお手の物で、五十過ぎのおっさんから二十代のイケメンくんまで、誠にフラットな書きっぷりで物語に心地好《よ》いグルーヴを生み出している。

ただし――。有川浩の魅力は、決してそういった「ライト」な部分にのみあるわけでも、ましてや器用に書き分けられる男女の情の機微にあるのでもない。ではなんなのか。

この作品の重要な背景となっているのは、いうまでもなく自衛隊だ。ただの「ラブコメ」を書くだけなら、何もこんな面倒な舞台装置は必要ない。ならば、なぜ有川浩は背景に自衛隊を置いたのか。ただの趣味か。ああそうかもしれない。でもそれにしては、すべてが上手《うま》く作用しすぎてはいないか。

そろそろタネを明かそう。

そもそも「大説」とは、君主や為政者が国や政治のあり方について記したものをいう。儒教の四書五経がこれに当たるらしいが、現代風にいえば田中角栄の『日本列島改造論』や、安倍晋三の『美しい国へ』なんかもこの範疇《はんちゅう》に入るのかもしれない。

では「小説」とは何か。ごく大雑把にいうと、市井の人がいかに生きるかを問い、それに対する答えを分かりやすく提示したもの、となる。いささか堅苦しい言い回しになったが、しかしこの『ラブコメ今昔』は、この定義にバッチリはまる。

少し注意深く読めば、本編の各話で重要な意思決定がなされる際、常に根拠となっているのが「国を守る」という意識であることは分かるだろう。それは即ち自衛官としてのプライドであり、自己犠牲を厭《いと》わない精神である。自己犠牲とはまた綺麗《きれい》事を、と思われるかもしれないが、これを正面から書くのにはある種の覚悟がいる。

それは、小説としての「答え」と言い替えてもいい。

つらいこと、悲しいこと、残酷なことを書くのは簡単だ。これでもか、これでもかと文を叩《たた》いて切り刻んでやればいい。実際、そういう小説も少なくない。すれ違いの末に実らなかった恋。愛した人を亡くす悲しみ。避けようもない暴力、消えない罪、心の闇。だが、その先に「答え」がなければ、それはただの言葉遊びに終わってしまう。正解のないクイズみたいなものだ。そうなったら、いくら丁寧《ていねい》に書いたところで「綺麗事」は「偽善」としか受け取られまい。

しかし、有川作品にはある。なかなか結論の出ない難題に、しっかりと答えを出している。

有川作品の娯楽性を、いまさら私なんかが語るのは野暮というものだ。でも「ああ面白かった」でこの本を閉じ、本棚にしまってしまうのはあまりにもったいない。ぜひ再読の機会には、一つひとつの作品に込められた小説としての「答え」を味わってほしい。

そして確かめてほしい。

有川浩が、いかに正統派の「小説家」であるかを。

言葉遊びに終わらない、しっかりと「答え」を持った書き手であるということを。

本書は、二〇〇八年六月に小社より刊行された単行本を、文庫化したものです。

ラブコメ今昔《こんじやく》

有川《ありかわ》 浩《ひろ》

角川文庫 17402

平成二十四年六月二十五日　初版発行
平成二十四年七月十五日　再版発行

発行者—井上伸一郎
発行所—株式会社角川書店
東京都千代田区富士見二—十三—三
電話・編集（〇三）三二三八—八五五五
〒一〇二—八〇七八
発売元—株式会社角川グループパブリッシング
東京都千代田区富士見二—十三—三
電話・営業（〇三）三二三八—八五二一
〒一〇二—八一七七
http://www.kadokawa.co.jp

印刷所—旭印刷　製本所—本間製本
装幀者—杉浦康平

あ 48-11　ISBN978-4-04-100330-5　C0193